NATIONAL GEOGRAPHIC

NATIONAL GEOGRAPHIC
jeunesse

ANGRY BIRDS
STAR WARS

QUELLE SCIENCE SE CACHE DERRIÈRE LA FICTION ?

AMY BRIGGS ★ PRÉFACE DE PETER VESTERBACKA

NG France
Directrice éditoriale : Françoise Kerlo
Responsable d'édition : Valérie Langrognet
Chargées d'édition : Caroline Rondeau, Julie Drouet
Chef de fabrication : Jérôme Brotons

Adaptation française : Mativox (Éric Mathivet, Pauline Bonvalet, Alix Mermillon), Les Récréateurs (Cécile Castillo)

ISBN : 978-2-82290-049-2
Dépôt légal : mars 2014
Imprimé en Espagne par Cayfosa – Impresia Ibérica

La National Geographic Society est l'une des plus vastes organisations à vocation scientifique et éducative et à but non lucratif au monde. Fondée en 1888 pour le développement et la diffusion de la connaissance géographique, la National Geographic Society agit pour sensibiliser et inciter à prendre une part active dans la protection de la planète. Elle touche chaque mois plus de 400 millions de personnes dans le monde grâce à son magazine mensuel, *National Geographic*, et à d'autres revues, mais aussi par sa chaîne de télévision – National Geographic Channel –, des documentaires, de la musique, des émissions de radio, des films, des livres, des DVD, des cartes, des expositions, des événements, des médias interactifs et tous les produits dérivés. National Geographic a financé plus de 10 000 recherches scientifiques, projets de conservation et de protection, mais aussi des programmes pour combattre l'illettrisme.

Vous pouvez nous rendre visite sur : www.nationalgeographic.fr

Lucasfilm : www.starwars.com
Rovio : www.rovio.com

Sommaire

QUE LA PLUME SOIT AVEC VOUS !

Depuis des décennies, *La Guerre des Étoiles*, aussi connue sous son titre anglais *Star Wars*, fascine un immense public. En tant que fan, j'ai été enthousiasmé par la collaboration entre Rovio et Lucasfilm pour la réalisation des jeux *Angry Birds Star Wars*. Dès le début, il était capital de réunir le meilleur des deux univers, mais le plus épatant fut de constater que les deux jeux ont vite constitué eux-mêmes un univers, au sein duquel les joueurs font l'expérience de la *Guerre des Étoiles* et vivent les moments clés de la saga.

Les jeux *Angry Birds Star Wars* ont conduit jusqu'à la *Guerre des Étoiles* une nouvelle génération, trop jeune pour être familière de l'ensemble des films. Il n'y a pas d'âge pour apprécier cette histoire, ni pour rêver de technologie et de superpouvoirs. Qui ne s'est jamais imaginé maniant un sabre laser ou embarquant pour un voyage intergalactique ?

Aujourd'hui, pour satisfaire les fans du monde entier, National Geographic met en scène les personnages des jeux *Angry Birds Star Wars* et examine la technologie de la saga. Montrer ce qui, dans le futur, pourra passer du domaine de la fiction à celui de la science est une ambition de ce livre. Alors, accrochez-vous bien à lui, pour un voyage dans une galaxie lointaine, très lointaine... avec vos amis à plumes !

Peter Vesterbacka
Mighty Eagle & Directeur Marketing
Rovio Entertainment Ltd.

M81 est une
galaxie lointaine,
très lointaine
– à 12 millions
d'années-lumière
pour être précis.

UNE BRILLANTE COMBINAISON

Dans la vie, les meilleures choses sont parfois le résultat de combinaisons inattendues. Du chocolat en poudre sur une tartine beurrée, par exemple, ou *Angry Birds Star Wars*, l'alliance parfaite du jeu vidéo et de l'épopée spatiale les plus populaires du monde !

L'auteure de ce livre est fan de *Star Wars* depuis toujours – son tricycle rouge arborait des autocollants de la princesse Leia et elle a débattu avec passion du triste sort de Yan Solo à la fin de *L'Empire contre-attaque*, impatiente de découvrir le fin mot de l'histoire dans *Le Retour du Jedi*. Aujourd'hui encore, quand elle ne se sent pas très bien, son mari lui verse toujours son remontant dans un verre Dark Vador. Ce remède marche à chaque fois : est-ce par nostalgie ou est-ce vraiment LA FORCE ?

À la sortie d'*Angry Birds*, elle a tenté de résister au charme de Red et de sa bande, mais elle a vite pris le parti des oiseaux, comme tout le monde. Impossible de demeurer insensible à un jeu si coloré, simple et réjouissant... dans lequel on est autorisé à tout casser !

Puis, elle a entendu parler d'*Angry Birds Star Wars* et goûté sans attendre ce mélange inattendu et intriguant. Des premières notes du thème musical de *Star Wars* à l'ultime niveau, elle a trouvé ce jeu imaginatif et totalement addictif.

Désormais, c'est National Geographic qui s'empare d'*Angry Birds Star Wars* pour apporter sa contribution spécifique : la réflexion scientifique. Les mondes lointains, les transports ultrarapides et toute la technologie futuriste sont étudiés pour révéler la science derrière la fiction. Existe-t-il des planètes habitables, et comment les découvrir ? Un véhicule peut-il fonctionner avec de la lumière, comme les vaisseaux N'œufs PAP des Cochons ? Les scientifiques pourront-ils bientôt créer des droïdes comme R2-BEC2 et C-3COQUE ?

Notre univers est aussi étrange et fascinant que le monde d'*Angry Birds Star Wars* !

Il y a bien
dans une
lointaine...

longtemps,
galaxie
très lointaine.

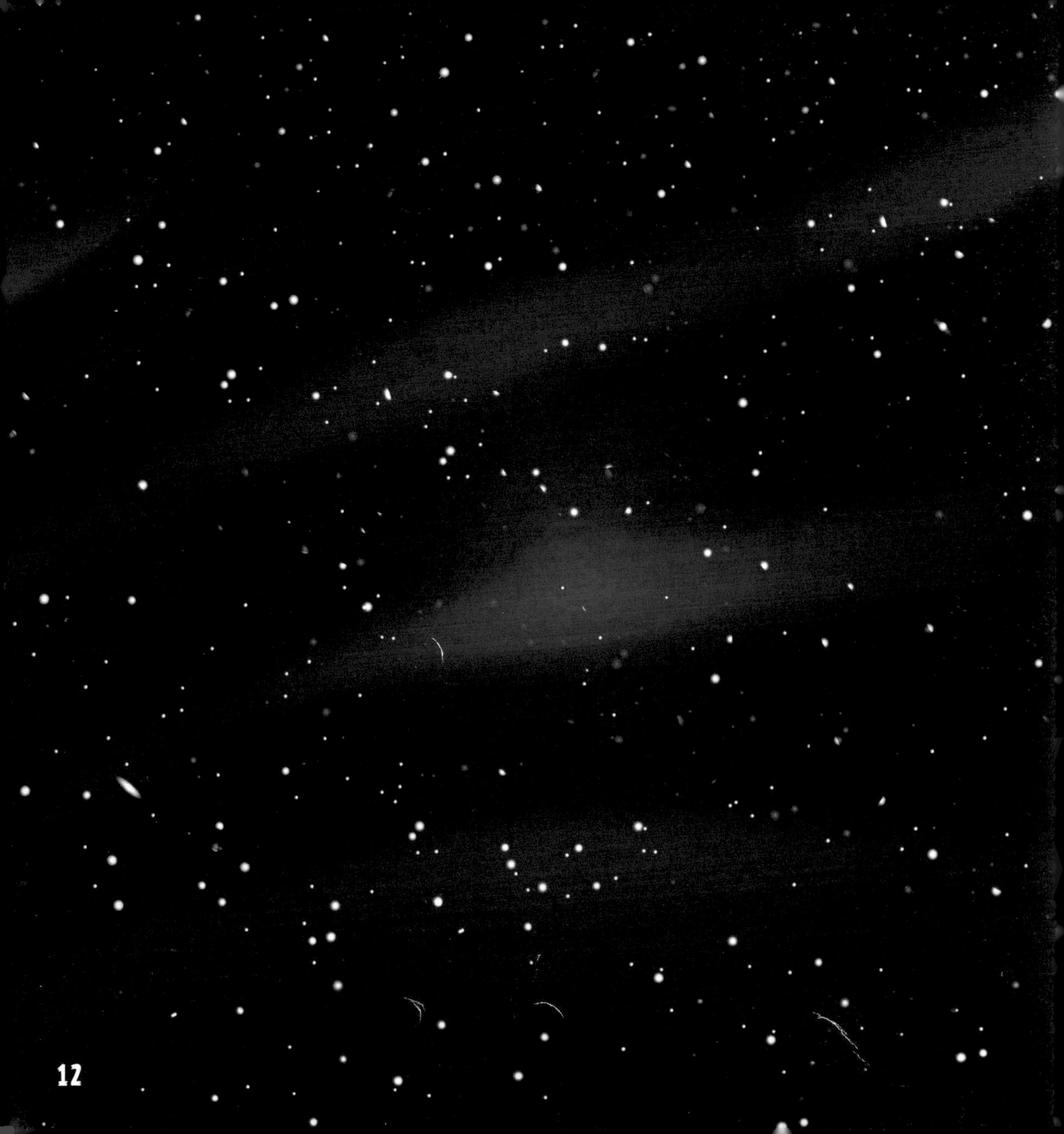

NATIONAL
GEOGRAPHIC
jeunesse

NIVEAU 1 — UN ESPOIR N'ŒUF

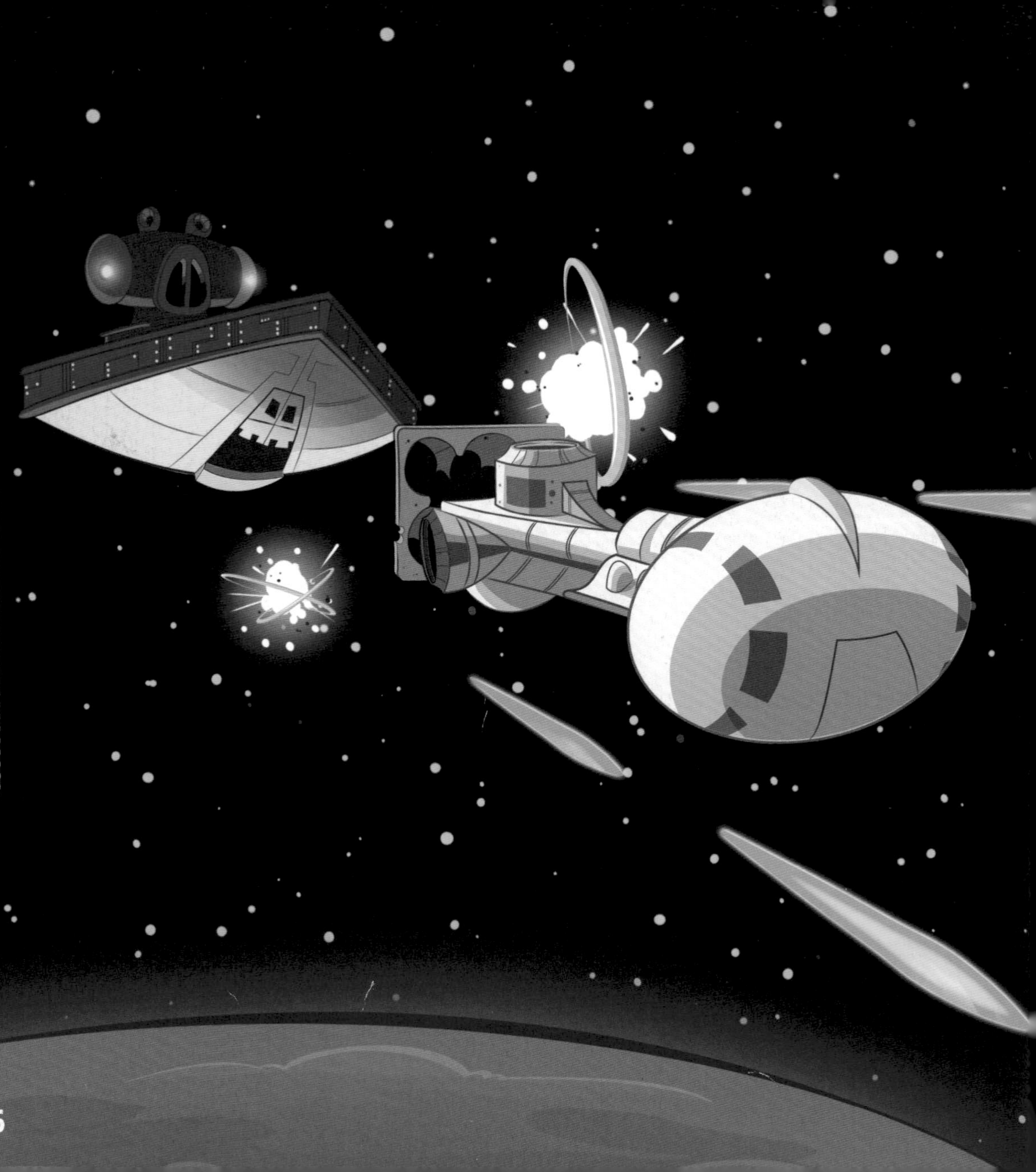

C'est une période de colère pour les Angry Birds en rébellion contre l'Empire Cochon. Le chef impérial LARD VADOR est convaincu que les oiseaux détiennent l'ŒUF, une relique qui renferme le pouvoir suprême. Vador poursuit le vaisseau de la PRINCESSE STELLA jusqu'à la planète Tatouïne et le capture. Mais deux droïdes, R2-BEC2 et C-3COQUE, s'échappent et rencontrent RED SKYWALKER, jeune oiseau fermier rêvant de s'envoler dans l'espace pour combattre les Cochons diaboliques...

RED SKYWALKER
LE HÉROS

Élevé sur la planète isolée de Tatouïne, Red Skywalker a toujours la tête dans les nuages. Dans cet environnement monotone, où rien d'excitant n'arrive jamais, ses rêves le divertissent. Jeune et fougueux, bien qu'un tantinet maladroit, Red a un don pour le pilotage. Il aimerait s'envoler dans les étoiles, mais il n'en a jamais eu l'occasion. Ses pieds restent collés au sol aride de Tatouïne.

RED SKYWALKER

CAMP : REBELLES À PLUMES

ESPÈCE : OISEAU

COMPÉTENCES : BON PILOTE, GRANDE MAÎTRISE DE LA FORCE

PERSONNALITÉ : ENTHOUSIASTE, UN PEU MALADROIT

LE B.A.-BA DU JEDI

La vie de Red commence à changer lorsqu'il rencontre les deux droïdes, C-3COQUE et R2-BEC2. Ces derniers le mènent à Ibou-Wan Kenobi, vieil oiseau solitaire qui se révèle être un maître Jedi. Ibou-Wan est d'accord pour initier Red aux pouvoirs de la Force afin qu'il aille combattre l'Empire Cochon. Red est enthousiaste à l'idée de devenir un Jedi, mais il a beaucoup à apprendre s'il veut sauver la galaxie.

FORCE INFO

CHAQUE GALAXIE CONTIENT ENTRE 10 MILLIONS ET 1000 MILLIARDS D'ÉTOILES.

TATOUÏNE
LA PLANÈTE AUX DEUX SOLEILS

LA FICTION

Red Skywalker a grandi sur le monde désert de Tatouïne. Par rapport au centre de la galaxie, Tatouïne est une planète lointaine, très lointaine. Chaude, sèche et poussiéreuse, elle gravite autour de deux soleils, dont les rayons ont provoqué l'évaporation de la plus grande partie de son eau. Pourtant, cette planète, considérée comme l'une des plus anciennes de la galaxie, fut jadis couverte d'océans. Aujourd'hui, le sable du désert l'envahit, mais ses roches et ses canyons révèlent l'abondance de l'eau par le passé.

FORCE INFO

EN 2012, ON A DÉCOUVERT UNE EXOPLANÈTE, APPELÉE PH1, QUI A QUATRE SOLEILS !

Les deux soleils de Tatouïne réchauffent la demeure de Red Skywalker, dans le désert.

LA SCIENCE

Dans notre Système solaire, Mars est la planète qui ressemble le plus à Tatouïne : sa surface est sèche et caillouteuse, avec de larges étendues de sable, des roches aux formes étranges et des canyons. Cette géologie révèle qu'autrefois Mars abritait de l'eau à l'état liquide – les traces sur les roches et le sol indiquent que l'eau circulait librement sur la planète, formant des rivières et des mers. Les raisons de la disparition des eaux de Mars sont encore en discussion, mais les scientifiques y ont envoyé des robots, comme Curiosity, qui devraient permettre de comprendre ce passé mystérieux.

TATOUÏNE

CLIMAT :
CHAUD ET ARIDE

SOLEILS : 2

LUNES : 3

SITES ET MONUMENTS :
ASTROPORT DE MOS EISLEY,
CANYON DE BEGGAR

Mars fait peut-être penser à Tatouïne, mais elle gravite autour d'un seul soleil. Pour trouver une planète à deux soleils, les scientifiques ont eu besoin d'aller chercher beaucoup plus loin dans l'espace. Pour sa quête d'exoplanètes (des planètes qui gravitent autour d'autres étoiles que le Soleil), la NASA a créé le télescope spatial Kepler, qui explore la Voie lactée depuis 2009. Malheureusement, en 2013, une partie de l'appareil est tombée en panne dans l'espace. Quoi qu'il advienne, Kepler a été d'une grande importance, permettant la découverte de plus de 2700 astres, dont 132 ont été confirmés en tant qu'exoplanètes.

UNE MULTITUDE D'ÉTOILES BINAIRES

En 2011, le télescope Kepler permit d'observer la première planète gravitant autour de deux soleils : Kepler-16b. Planète géante gazeuse (de la taille de Saturne) et glacée, elle a été repérée alors qu'elle passait devant ses soleils. En 2012, on fit une découverte encore plus importante – deux planètes autour de deux soleils! La première, Kepler-47b, est trop chaude pour abriter de l'eau liquide. L'autre, Kepler-47c, gravite autour de ses soleils à une distance qui rend possible la présence de l'eau, mais les astronomes ne pensent pas qu'elle puisse accueillir la vie, car il s'agit probablement d'une géante gazeuse (de la taille de Neptune). Il y a beaucoup d'autres systèmes à deux étoiles – ou étoiles binaires : peut-être 2 millions dans notre galaxie.

UN TÉLESCOPE DANS L'ESPACE

Le télescope spatial Kepler est orienté vers les constellations du Cygne et de la Lyre.

Kepler-16b (en noir) est la première planète connue ayant deux soleils (rouge et jaune).

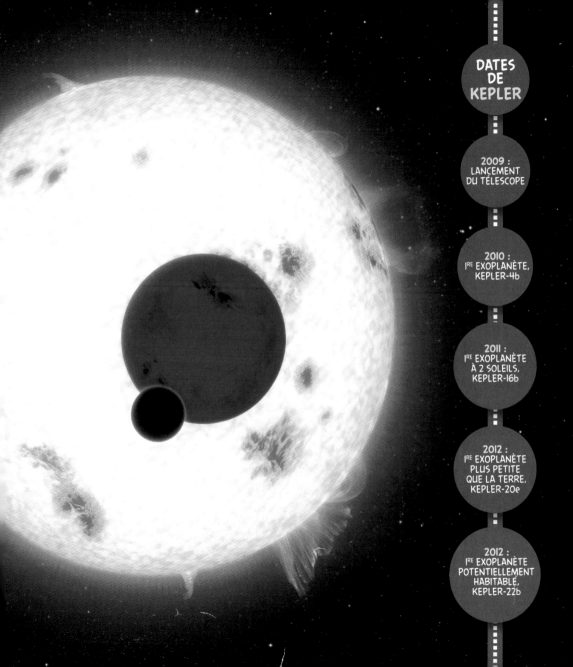

DATES
DE
KEPLER

2009 :
LANCEMENT
DU TÉLESCOPE

2010 :
1RE EXOPLANÈTE,
KEPLER-4b

2011 :
1RE EXOPLANÈTE
À 2 SOLEILS,
KEPLER-16b

2012 :
1RE EXOPLANÈTE
PLUS PETITE
QUE LA TERRE,
KEPLER-20e

2012 :
1RE EXOPLANÈTE
POTENTIELLEMENT
HABITABLE,
KEPLER-22b

C-3COQUE & R2-BEC2

◄ C-3COQUE

CAMP : REBELLES À PLUMES

FONCTION : DROÏDE DE PROTOCOLE

COMPÉTENCES : INTERPRÈTE, MAÎTRISE 6 MILLIONS DE LANGUES

PERSONNALITÉ : PACIFIQUE MAIS UN PEU NERVEUX ; TOMBE SOUVENT EN MORCEAUX

FORCE INFO

LE IER ROBOT À FORME HUMAINE CONÇU POUR L'ESPACE S'APPELLE ROBONAUT 2 : R2.

UN DUO ÉTRANGE

La princesse Stella envoie C-3COQUE et R2-BEC2 sur Tatouïne afin qu'ils échappent à l'Empire et portent un message à Ibou-Wan Kenobi. Les deux droïdes s'associeront à Red Skywalker dans sa lutte contre les Cochons.

UNE UNION GAGNANTE

Bien qu'ils s'allient pour vaincre les Cochons, les deux droïdes ont au départ des programmes bien différents. C-3COQUE est un robot protocolaire doré qui peut se révéler trop méticuleux; son rôle pacifique le porte vers des solutions diplomatiques. Petit et bagarreur, R2-BEC2 préfère taper fort sur ses ennemis. Ce droïde astromécano excelle dans la réparation des ordinateurs et des machines, mais il dissimule aussi un lourd secret, qu'il gardera toute sa vie.

R2-BEC2 ∨

CAMP : REBELLES À PLUMES

FONCTION : DROÏDE ASTROMÉCANO

COMPÉTENCES : MÉMORISER ET FOURNIR DES INFORMATIONS; RÉPARER DES ORDINATEURS

PERSONNALITÉ : SAIT GARDER UN SECRET ; AIME LA BAGARRE

LES DROÏDES
DES ROBOTS INTELLIGENTS

Les droïdes comme C-3COQUE et R2-BEC2 sont assez malins. Ils montrent une grande aptitude à apprendre et communiquer, et effectuent des tâches complexes, comme traduire des langues extraterrestres et naviguer dans l'hyperespace. Ils ont aussi leur propre personnalité et d'autres caractéristiques humaines. Tout cela fait d'eux de précieux alliés pour les Oiseaux Rebelles.

LES DROÏDES QU'IL NOUS FAUT

Les scientifiques cherchent à inventer des robots plus intelligents et plus habiles, qui faciliteront notre vie quotidienne. Le robot ménager HERB, de l'université Carnegie-Mellon, est un modèle très prometteur! Les ingénieurs ont d'abord introduit dans la mémoire de HERB un modèle numérique de chaque objet, afin qu'il puisse s'en servir. Mais un nouveau programme permet désormais à HERB d'utiliser ses propres «sens» pour explorer et apprendre par lui-même. Il peut se mouvoir dans un environnement humain, découvrir et se souvenir de nouveaux objets, et les manipuler. L'équipe de chercheurs espère qu'un jour, HERB et d'autres robots pourront aider les humains, et tout particulièrement les personnes âgées ou handicapées.

ROBOTS EN PROGRÈS

1920 : L'ÉCRIVAIN TCHÈQUE KAREL CAPEK CRÉE LE MOT « ROBOT ».

1961 : UNIMATE, PREMIER ROBOT INDUSTRIEL, ENTRE EN ACTION DANS UNE USINE AMÉRICAINE.

1997 : L'ORDINATEUR DEEP BLUE BAT LE CHAMPION DU MONDE D'ÉCHEC GARRY KASPAROV.

2002 : ROOMBA, PREMIER ROBOT ASPIRATEUR, EST EN VENTE.

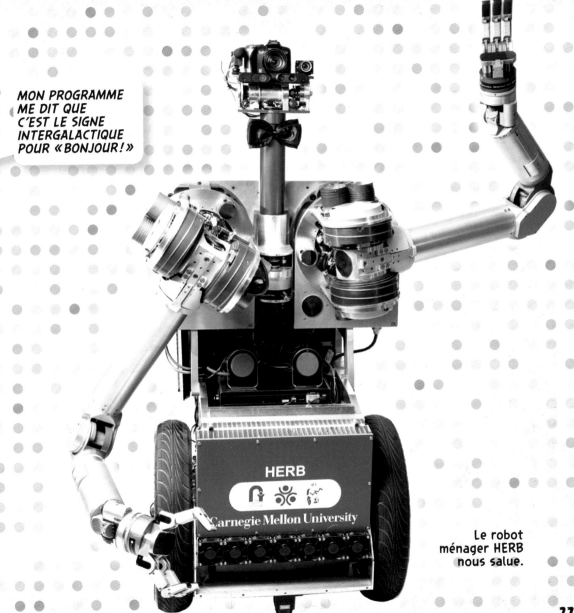

MON PROGRAMME ME DIT QUE C'EST LE SIGNE INTERGALACTIQUE POUR « BONJOUR ! »

Le robot ménager HERB nous salue.

IBOU-WAN KENOBI
LE MAÎTRE

Un vieil ermite mystérieux, Ibou-Wan Kenobi, hante depuis de nombreuses années les hauteurs désolées de Tatouïne. À distance, il observe Red Skywalker depuis sa naissance, attendant patiemment l'opportunité d'apprendre à cet oisillon l'usage de la Force.

UN CHEVALIER JEDI

Après avoir sauvé Red d'une attaque des Cochons des Sables, Ibou-Wan lui dévoile sa véritable identité. L'ermite est un puissant chevalier Jedi volant, expert en explosions. Il est prêt à initier Red aux pouvoirs de la Force. Tous deux se joindront aux Rebelles pour combattre l'Empire Cochon et protéger la galaxie.

IBOU-WAN KENOBI

CAMP : REBELLES À PLUMES ET CONSEIL DES MAÎTRES JEDI VOLANTS

FONCTION : OISEAU

COMPÉTENCES : POUVOIRS JEDI, MAÎTRISE DE LA FORCE

PERSONNALITÉ : FIER GUERRIER, GUIDE DE RED ; S'ENFLAMME RAPIDEMENT

FORCE INFO
PLUS UNE ÉTOILE EST MASSIVE, PLUS SA VIE SERA BRÈVE.

ARMEMENT GALACTIQUE

ARME : SABRE LASER

TYPE : ARME DE CONTACT

EFFETS : ÉNERGIE LASER

SPÉCIFICITÉS : DÉVIE LES TIRS DE BLASTER, TRANCHE LES MÉTAUX, TAILLADE LES COCHONS

LE SABRE LASER
UNE ARME ÉLÉGANTE

LA FICTION

Arme traditionnelle des chevaliers Jedi, le sabre laser possède une lame de pure énergie qui peut presque tout trancher, excepté un autre sabre laser. Le pommeau contient une cellule d'énergie et un cristal coloré qui émet de la lumière laser. Une lentille concentre le rayon et le transforme en une lame d'énergie bourdonnante. Lorsque Red Skywalker débute son entraînement, Ibou-Wan Kenobi lui confie un sabre laser bleu. Celui du redoutable Lard Vador est rouge.

LA SCIENCE

Les sabres lasers restent heureusement du domaine de la science-fiction, mais Energetic Materials & Products, une entreprise texane, a inventé un outil ayant des effets proches – un chalumeau extrêmement chaud, qui peut couper des barres d'acier en quelques secondes. Cet appareil, de la taille d'une lampe de poche, fonctionne grâce à une réaction chimique entre l'oxyde de cuivre, le magnésium et des particules d'aluminium : cela génère une flamme de plus de 2700 °C, qui ne dure que quelques secondes. C'est suffisant pour la police ou les pompiers, qui ont parfois besoin de découper rapidement du métal pour aider les victimes d'accidents

CHAUD DEVANT !

Démonstration de l'efficacité du chalumeau qui tranche des barres de métal, des verrous et des chaînes.

FICHE TECHNIQUE

NOM : LANDSPEEDER

TYPE DE VAISSEAU : VÉHICULE TERRESTRE

ARMES INTÉGRÉES : AUCUNE

PILOTE : RED SKYWALKER

LE LANDSPEEDER
POUR FLOTTER SUR L'AIR

Quand Red Skywalker décide de se rendre à l'astroport le plus proche avec Ibou-Wan Kenobi, ils sautent tous deux dans le Landspeeder de Red : c'est un vaisseau qui ne vole qu'à très basse altitude, en rase-mottes. Un système de propulsion et deux turbines le font avancer sur l'air. Le Landspeeder est un mode de transport parfait lorsqu'il s'agit de filer au-dessus du sable brûlant de Tatouïne.

UN AÉROGLISSEUR

La technologie qui fait planer le Landspeeder de Red est proche de celle de l'aéroglisseur, dans lequel un ventilateur génère un coussin d'air qui fait flotter le véhicule. Inventé en 1956, l'aéroglisseur est aujourd'hui décliné en plusieurs tailles et diverses formes. Une firme technologique californienne propose un aéroglisseur individuel, aussi facile à manier qu'un vélo. Ce nouvel « aérovélo » se caractérise par un système de direction mécanique simple qui répond aux mouvements du pilote : l'apprentissage du vol est facile et intuitif. Les ingénieurs espèrent que cet appareil très manœuvrable pourra aider les secours à se rendre rapidement à des endroits inaccessibles aux véhicules à roues.

UN TOUR EN AÉROVÉLO

L'aérovélo Aerofex peut planer à 4,5 m du sol et atteindre la vitesse de 50 km/h.

La princesse Stella confie à R2-BEC2 son appel au secours holographique.

Les pixels holographiques stockent une grande quantité de données.

CHUCK YAN SOLO & CHOUBACCA

L'AVENTURIER ET LE GÉANT À PLUMES

Chuck Yan Solo est un contrebandier, pilote hors-norme et excellent tireur au blaster, bien que prétentieux et trop sûr de lui. Son copilote Choubacca est aussi grand et costaud qu'avare de paroles, mais il se fait bien comprendre de Yan Solo. Les deux acolytes n'apprécient guère l'Empire Cochon. Ils comptent sur leur vaisseau ultra-rapide, le *Faucon Puissant*, pour échapper à toute domination impériale.

◄ CHOUBACCA

CAMP : REBELLES À PLUMES

ESPÈCE : WOO-OISEAU

COMPÉTENCES : COPILOTAGE, MÉCANIQUE

PERSONNALITÉ : COSTAUD, PAS TRÈS CAUSANT

◄ CHUCK YAN SOLO

CAMP : REBELLES À PLUMES

ESPÈCE : OISEAU

COMPÉTENCES : CONTREBANDE, TIR, PILOTAGE

PERSONNALITÉ : FIÈRE CRAPULE N'AIMANT PAS L'EMPIRE

REJOINDRE LA RÉBELLION

Yan Solo, qui doit souvent de l'argent à des escrocs, est à l'affût de nouvelles combines pour rembourser ses dettes et s'enrichir. Il n'hésite pas à vendre ses services à Red et Ibou-Wan, rencontrés dans un bar de Tatouïne. Poursuivis par les Cochons, ils s'enfuiront tous à bord du *Faucon Puissant*.

ARMEMENT GALACTIQUE

ARME : PISTOLET BLASTER

TYPE : ARME DE TIR

EFFET : ÉNERGIE LUMINEUSE INTENSE

SPÉCIFICITÉS : TRAVERSE LES ARMURES,
EXPLOSE LES COCHONS

LE BLASTER DE YAN SOLO
UN LASER SURPUISSANT

LA FICTION

Lorsque le chasseur de primes Porcupide vient capturer Chuck Yan Solo dans le bar de Mos Eisley, le contrebandier n'hésite pas à utiliser son fidèle blaster pour régler définitivement le problème. Les blasters sont les armes lasers les plus courantes de la galaxie, il en existe de toutes tailles, du pistolet au canon. Tous tirent des faisceaux concentrés de particules hautement énergétiques. Sûrs et précis, les blasters sont les armes préférées de Yan Solo.

LA SCIENCE

Le pistolet laser est l'arme typique des histoires de science-fiction. Dans la réalité, si l'on n'a pas encore conçu de lasers portatifs, il existe déjà des canons! En 2013, la Marine américaine a annoncé qu'elle équiperait le navire *USS Ponce* d'un gros canon laser, une arme assez puissante pour abattre des avions! Mais le développement de lasers personnels n'est pas pour aujourd'hui. En effet, pour générer un faisceau suffisamment efficace, il faudrait une source importante d'énergie. Le canon laser utilise celle du navire qu'il équipe, mais il n'existe aucune batterie portable assez puissante pour alimenter un laser portatif. Autre problème : lorsque l'on se sert d'un laser, il devient brûlant ! Il faudrait donc l'équiper d'un système de refroidissement. Conclusion : la technologie actuelle ne permet pas de créer de pistolet blaster.

UN CANON LASER

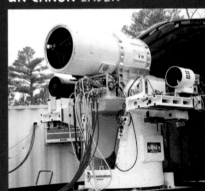

Un tir laser de ce canon a abattu un avion (sans pilote ni passagers) lors d'une séance de tests de la Marine américaine.

LE FAUCON PUISSANT

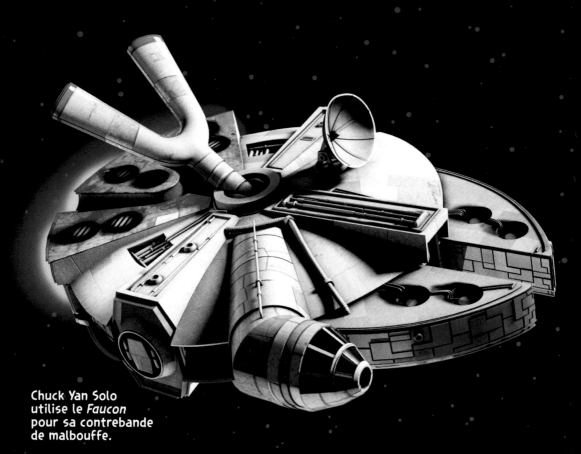

Chuck Yan Solo
utilise le *Faucon*
pour sa contrebande
de malbouffe.

LE M'AS-TU-VU LE PLUS RAPIDE **DE LA GALAXIE**

Piloté par Chuck Yan Solo et Choubacca, le *Faucon Puissant* a l'air banal, mais il réagit comme il faut et quand il faut. De l'extérieur, il ressemble à un vieux cargo fatigué : c'est un ingénieux camouflage des modifications spéciales effectuées par Yan Solo, qui font du *Faucon* l'un des vaisseaux les plus rapides et les mieux équipés de la galaxie. Red Skywalker et Ibou-Wan Kenobi pourront apprécier ses capacités en s'enfuyant de Tatouïne à son bord.

CONQUÉRIR L'ESPACE

Le *Faucon Puissant* transporte facilement les Rebelles à travers la galaxie, mais il s'agit hélas de science-fiction. Les voyages spatiaux interstellaires sont encore impossibles. Cependant, depuis le milieu du xxe siècle, le transport dans l'espace de personnes et de marchandises est une réalité. Le premier homme envoyé dans l'espace fut le cosmonaute soviétique Iouri Gagarine à bord de la capsule Vostok I, en 1961. Après un tour en orbite, Gagarine sauta en parachute tandis que sa capsule s'écrasait au sol. Les vestiges de Vostok I sont exposés au musée RKK Energiya de Moscou.

FICHE TECHNIQUE

NOM : *FAUCON PUISSANT*

TYPE DE VAISSEAU : CARGO

ARMES INTÉGRÉES : FRONDE RÉTRACTABLE, CANON LASER

PILOTE : CHUCK YAN SOLO

LES NAVETTES SPATIALES

Une navette spatiale peut faire des allers-retours entre la Terre et l'espace, tandis qu'une fusée, comme le lanceur européen Ariane, ne sert qu'une fois. Les navettes spatiales américaines décollent comme des fusées et atterrissent comme des avions. Entre 1981 et 2011, elles ont effectué 135 missions, emportant des équipages jusqu'à la station Mir ou des matériaux pour la construction de la Station spatiale internationale (SSI). Avec l'évolution de la technologie, les navettes spatiales devraient pouvoir emporter des cargaisons de plus en plus grosses, et de plus en plus de passagers.

FAITES ENTRER LE DRAGON

Lorsque le programme américain de navette spatiale fut interrompu, en 2011, des entreprises privées virent l'opportunité de proposer des voyages dans l'espace et des transports de cargaisons. SpaceX, une compagnie américaine de transport spatial, a signé un contrat avec la NASA (l'agence spatiale des États-Unis) pour transporter le matériel destiné à la Station spatiale internationale. Depuis 2012, la capsule réutilisable de SpaceX, le Dragon, a déjà fait plusieurs voyages. Aujourd'hui SpaceX travaille sur un projet de la NASA : une nouvelle version du Dragon, capable de faire un aller-retour avec 7 astronautes à bord, entre la Terre et la Station spatiale internationale.

UNE RETRAITE MÉRITÉE

En 30 ans d'activité, les 5 navettes spatiales américaines ont emporté 355 passagers et parcouru plus de 800 millions de km.

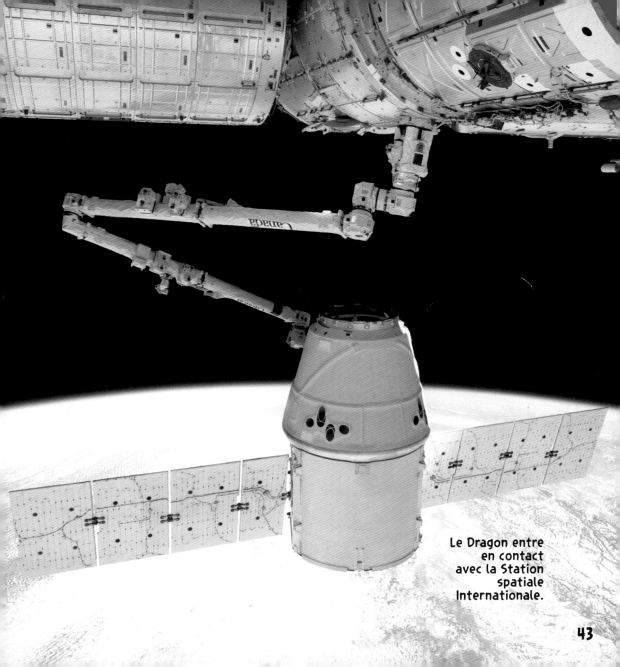

Le Dragon entre en contact avec la Station spatiale Internationale.

LARD VADOR
LE GRAND MÉCHANT

Diabolique et pervers, Lard Vador inspire la peur dans chaque coin de la galaxie. Cet être maléfique était autrefois un chevalier Jedi volant mais il est passé du côté goret de la Force. Désormais, c'est l'un des plus puissants chefs de l'Empire Cochon. Il porte une armure noire, tandis qu'un masque sinistre dissimule son identité.

LA QUÊTE DE L'ŒUF

Lard Vador est persuadé que les Oiseaux Rebelles possèdent l'Œuf, clé du pouvoir suprême de l'Univers, et c'est pour le leur dérober qu'il les poursuit sans relâche. Son désir de contrôler l'Œuf n'a d'égal que sa passion pour la malbouffe. Bien qu'il soit au service de l'Empire, Vador complote pour usurper le pouvoir et régner sur la galaxie.

LARD VADOR

CAMP : EMPIRE COCHON

ESPÈCE : OISEAU-CYBORG

COMPÉTENCES : MAÎTRISE DU COTÉ GORET DE LA FORCE

PERSONNALITÉ : AVIDE DE POUVOIR ET DE MALBOUFFE

FORCE INFO
LES ASTRONAUTES MANGENT AUSSI DES FRIANDISES DANS L'ESPACE.

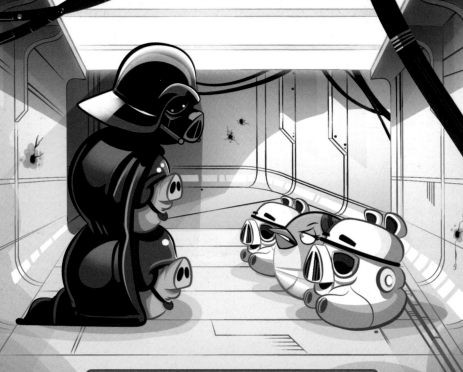

ARMEMENT GALACTIQUE

ARME : ARMURE DE LARD VADOR

DISSIMULE : LE CORPS DU COCHON-CYBORG

PROTÈGE CONTRE : LES BLASTERS, LA CHALEUR, LE FROID,
L'ÉNERGIE ÉLECTRIQUE, LES EXPLOSIONS, LES COUPURES,
LES ENTAILLES, LE POISON

SPÉCIFICITÉS : RESPIRATEUR ARTIFICIEL,
RÉGULATION THERMIQUE

L'ARMURE DE LARD VADOR
LA TENUE SPATIALE IDÉALE

LA FICTION

Protection universelle, l'armure de Lard Vador lui sert aussi de respirateur artificiel.
Il a été terriblement blessé à l'époque où il a basculé du côté goret de la Force. Son armure
doit donc réguler ses fonctions corporelles, telles que la respiration ou la température.
Il peut ainsi survivre n'importe où, même dans le vide glacé de l'espace.

LA SCIENCE

Des combinaisons adaptées sont conçues pour chaque mission spatiale. Afin que les
astronautes puissent se déplacer librement sur la Lune, on a conçu un système de support
de vie leur fournissant de l'air et de l'eau. Pour sortir dans l'espace et construire la SSI,
on a aussi créé des tenues protectrices contre le froid extrême, avec des réserves
d'oxygène. La NASA travaille actuellement sur un nouveau prototype « Z-I », qui pourrait
être utilisé dans l'espace, sur la
Lune et, probablement, sur Mars.
C'est une combinaison polyvalente
permettant de flotter hors
de la station sans craindre les
rayons cosmiques, et de partir
à la conquête du milieu
extraterrestre.

LES COMBINAISONS CHANGENT

APOLLO :
1969

EMU :
2002

PROTOTYPE Z-I :
2012

L'ÉTOILE COCHON
UNE STATION SPATIALE ENGRAISSÉE

L'Étoile Cochon flotte dans l'obscurité de l'espace : c'est l'arme la plus puissante de l'Empire Cochon. De la taille d'une petite lune, elle est la base de toutes les opérations militaires d'envergure. À son bord s'élaborent les plans de conquête de l'Œuf. Protégée par des rayons attracteurs, des canons ioniques et des tourelles lasers, cette forteresse est sûre : les Cochons s'y retrouvent pour s'empiffrer de cochonneries et planifier leurs attaques.

LES STATIONS SPATIALES POUR LA SCIENCE

Les vraies stations spatiales tournent autour de la Terre et accueillent des astronautes, qui y passent beaucoup de temps. Elles sont d'une grande importance pour la recherche scientifique. On y étudie par exemple les effets de l'apesanteur et on y effectue des observations de la Terre. La première station spatiale, Salyut I, fut lancée en 1971 par l'Union soviétique. Les États-Unis suivirent de près, avec Skylab en 1973, mais abandonnèrent leur programme dès l'année suivante. À l'époque, on ne restait pas plus de quelques semaines dans l'espace, car on ignorait si les longs séjours étaient sans danger.

FICHE TECHNIQUE
NOM : ÉTOILE COCHON
TYPE DE VAISSEAU : STATION SPATIALE
UTILITÉ : PRÉPARATION DES ATTAQUES CONTRE LES OISEAUX REBELLES, STOCKAGE DE MATÉRIEL ET DE MALBOUFFE
AFFILIATION : EMPIRE DES COCHONS

L'Étoile Cochon surgit, menaçante, des profondeurs de l'espace.

LA SUPERBE MIR

Lorsque les scientifiques furent convaincus qu'il n'était pas dangereux de rester dans l'espace, on commença à concevoir des stations adaptées aux longs séjours. En 1986, les Russes lancèrent la station modulable Mir, pouvant héberger 6 personnes. Les cosmonautes y menèrent des recherches sur la technologie spatiale, l'astrophysique, la biologie et les effets à long terme de l'apesanteur sur les humains. La station tourna autour de la Terre pendant 15 ans, puis la Russie interrompit le programme pour participer à la construction de la Station spatiale internationale (SSI). En 2011, Mir quitta son orbite et tomba dans l'océan Pacifique.

UNE STATION INTERNATIONALE

Quinze pays collaborèrent au lancement de la Station spatiale internationale, la plus grande construction humaine de l'espace. La première section du laboratoire spatial fut mise en orbite en 1998 ; aujourd'hui la station fait pratiquement la surface d'un terrain de foot et sa partie habitable correspond à une maison familiale. À la différence de l'étoile fictive des Cochons qui peut accueillir plusieurs bataillons porcins, la SSI est conçue pour héberger 6 à 10 occupants humains. C'est un laboratoire scientifique où l'on fait des recherches très variées, des sciences de la Terre à l'agriculture spatiale.

ROCK STAR EN CHAUSSETTES !

L'astronaute canadien Chris Hadfield est célèbre pour avoir interprété dans l'espace (et en chaussettes) la chanson de David Bowie *Space Oddity*.

Deux astronautes, américain et suédois, font des travaux sur la Station spatiale internationale.

L'ISS
EN CHIFFRES

1RE
OCCUPATION :
2 NOVEMBRE
2000

MASSE
ACTUELLE :
419 454 KG

NOMBRE DE
VISITEURS :
204

NOMBRE
DE SORTIES
D'ASTRONAUTES
DANS L'ESPACE :
168

Vision terrifiante :
l'Étoile Cochon
observée depuis
le poste de pilotage
du *Faucon Puissant*.

Avec son grand cratère d'impact, Mimas, une lune de Saturne, ressemble étrangement à l'Étoile Cochon.

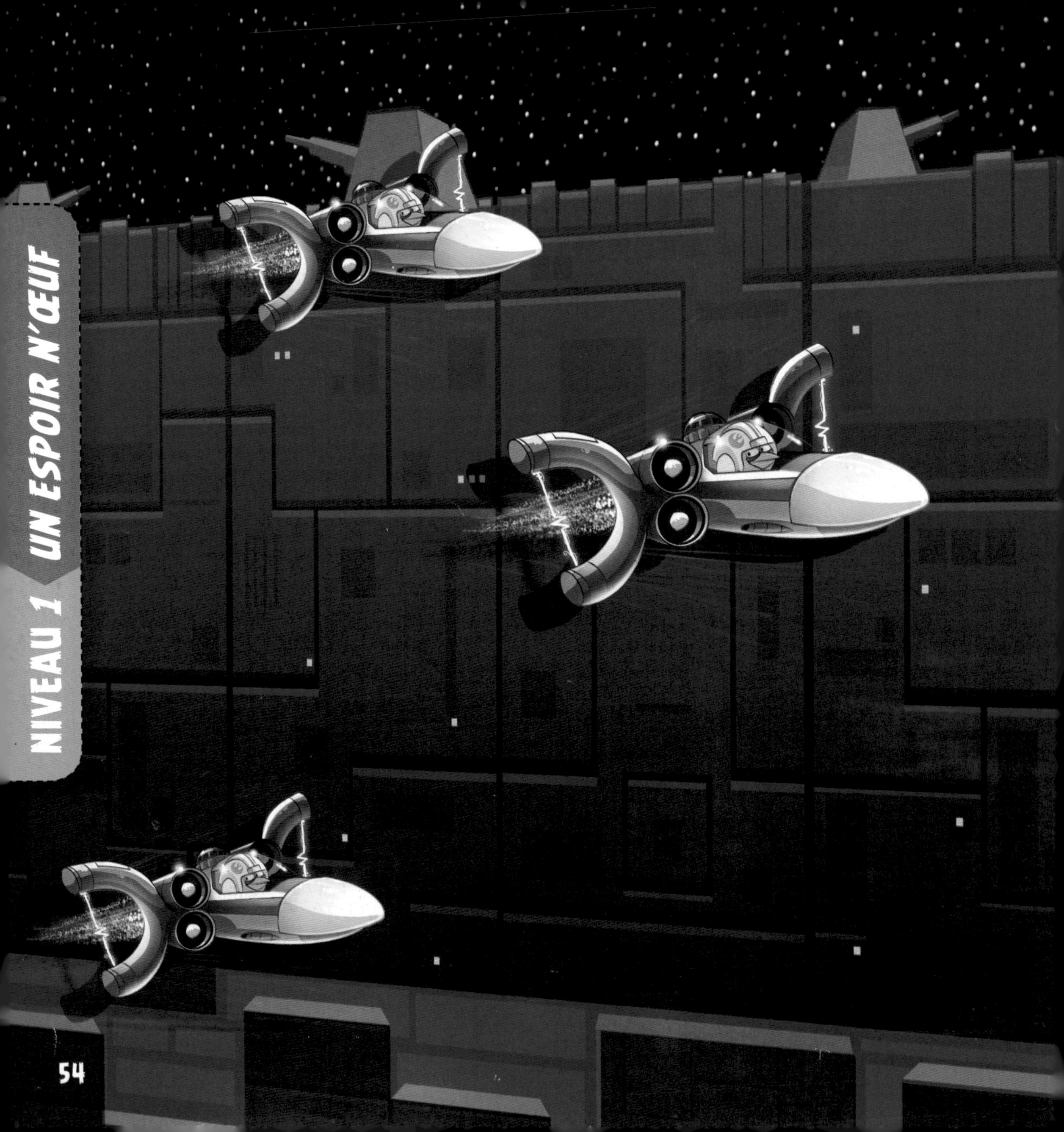

L'ESCADRON BLEU
LE TRIO TERRIBLE

Trois oiseaux solidaires et intrépides forment l'Escadron Bleu, meilleur corps d'élite de pilotes de combat des Oiseaux Rebelles. Sous la commande de Red Skywalker et des chefs rebelles, ces courageux casse-cous filent dans leurs chasseurs aviaires Ailes-X, pour protéger la galaxie des attaques de l'Empire Cochon.

BLEU, BLEU, BLEU

Depuis leur base rebelle secrète, les trois audacieux héros planifient l'attaque de l'Étoile Cochon, la station mortelle de l'Empire. Pour la détruire, ils doivent combiner leurs forces, déjouer ses défenses et survivre à l'affrontement avec les vaisseaux cochons et le diabolique Lard Vador. Les Rebelles comptent sur eux !

ESCADRON BLEU

CAMP : REBELLES À PLUMES

ESPÈCE : OISEAUX

COMPÉTENCES : COOPÉRATION

PERSONNALITÉ : UNIS, FIABLES, PERSÉVÉRANTS

FORCE INFO
LES FUSÉES DOIVENT ÊTRE LANCÉES À AU MOINS 40 200 KM/H POUR ÉCHAPPER À L'ATTRACTION TERRESTRE.

FICHE TECHNIQUE

NOM : AILE-X

TYPE DE VAISSEAU : CHASSEUR AVIAIRE

ARMES : CANON LASER, TORPILLES À PROTONS

PILOTES : RED SKYWALKER, ESCADRON BLEU

LE CHASSEUR AILE-X
POUVOIR SUBATOMIQUE

Les meilleurs pilotes sont aux commandes des chasseurs aviaires Ailes-X. Rapides et très maniables, ces vaisseaux sont propulsés par des ions supra-lumineux : ce sont les engins les plus rapides de la flotte rebelle. Comme le *Faucon Puissant*, les Ailes-X atteignent la vitesse de la lumière grâce aux droïdes astromécaniques installés à l'arrière du cockpit : ceux-ci gèrent la navigation dans l'hyperespace et assurent les réparations.

LA PROPULSION IONIQUE

On est loin de maîtriser les voyages à la vitesse de la lumière, mais on sait fabriquer des moteurs ioniques. Dawn, la sonde spatiale de la NASA lancée en 2007 pour explorer la ceinture d'astéroïdes, est propulsée par ce type de moteur, très efficace et consommant moins de carburant que les fusées. Actuellement, les moteurs ioniques sont ceux qui permettent de voyager le plus vite, le plus loin et le plus économiquement. Pour sa prochaine mission, la NASA étudie un nouveau moteur, qui utilise des ions xénon. S'il est au point, il sera utilisé pour un extraordinaire projet : capturer un petit astéroïde pour le placer en orbite stable autour de la Terre, avant d'envoyer des astronautes explorer sa surface.

LE XÉNON BRÛLE BLEU !

Lors d'un test effectué en 2013 par la NASA en Californie, ce moteur ionique utilisant du gaz xénon émet une lumière bleutée.

LES PORTROOPERS
SOLDATS DE L'EMPIRE

Serviteurs fidèles de l'Empire, les Portroopers sont chargés de chasser et d'éliminer les forces rebelles. Leurs armures blanches brillantes sont adaptées à tous les climats, des sables brûlants de Tatouïne aux neiges glaciales de Hoth. Ils ont les moyens de traquer les Oiseaux Rebelles jusqu'au bout de l'Univers.

SERVIR SANS RÉFLÉCHIR

Bien que terrifiants, les Portroopers sont loin d'être des génies. Lors de la sélection des soldats, les chefs impériaux ont délibérément choisi ceux qui avaient le moins d'esprit critique : il fallait qu'ils obéissent aux ordres sans poser de questions. Il vaut mieux ne pas trop penser pour bien servir l'Empereur !

PORTROOPERS

CAMP : EMPIRE COCHON

ESPÈCE : COCHONS

COMPÉTENCES : OBÉIR ET NE RIEN DIRE

PERSONNALITÉ : LOYAUX À L'EMPIRE, AMATEURS DE MALBOUFFE

FORCE INFO
AUJOURD'HUI, FABRIQUER UNE COMBINAISON SPATIALE REVIENT À PLUS DE 8 MILLIONS D'EUROS.

L'ARMURE IMPÉRIALE
PROTECTION DE COCHON

Légère comme une plume et blanche comme neige, l'armure impeccable des Portroopers les protège de tout type d'attaque – sabres lasers, lances, blasters, etc. Sa structure articulée permet aux Cochons de se déplacer rapidement et facilement – à moins qu'ils ne se soient trop empiffrés de sucreries. Leur casque high-tech filtre l'air et protège leur tête, tout en leur permettant de communiquer. Les Portroopers ont même une tenue blindée spécialisée pour les climats extrêmes – comme dans le désert de Tatouïne et la toundra de Hoth.

SOLIDITÉ, LÉGÈRETÉ, FLEXIBILITÉ

Sur Terre, les soldats portent aussi des tenues spéciales pour éviter d'éventuelles blessures, mais elles stoppent les balles et les éclats d'obus, non les lasers. Elles doivent permettre aux militaires de se déplacer facilement tout en leur apportant une protection optimale. Les disques d'acier protègent bien le corps, mais ils sont lourds et peu pratiques. Des ingénieurs ont donc mis au point des matières plus légères et offrant la même protection avec une épaisseur moindre. Les combinaisons d'aujourd'hui sont en matériaux synthétiques comme le Kevlar et le Dyneema, qui pèsent parfois jusqu'à 25 % moins lourd que l'acier. Les casques et les gilets pare-balles sont souvent fabriqués avec les mêmes

L'« armure » moderne
est conçue pour
fournir une protection
optimale avec
un poids minimal.

61

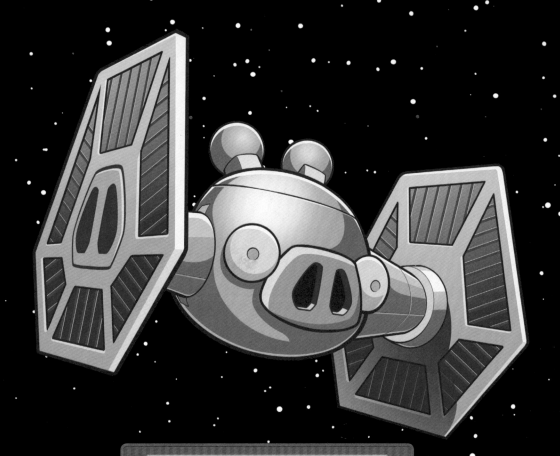

FICHE TECHNIQUE

NOM : N'ŒUF PAP

TYPE D'APPAREIL : CHASSEUR COCHON

ARMES INTÉGRÉES : CANON LASER

PILOTES : PORTROOPERS

N'ŒUF PAP
L'ÉNERGIE DES ÉTOILES

Lorsque les Oiseaux Rebelles lancèrent l'attaque contre L'Étoile Cochon, ils durent faire face à un escadron de Portroopers dans leurs dangereux N'œufs PAP (Navettes Pour l'Anéantissement des Piafs). Légers et rapides, ces vaisseaux absorbent la lumière des étoiles pour alimenter leurs puissants moteurs. Des panneaux solaires massifs ornent leurs deux ailes.

LE SOLAR IMPULSE

Les panneaux solaires sur les ailes des chasseurs cochons ont des équivalents dans le monde réel. Leurs cellules photovoltaïques absorbent la lumière du Soleil et la convertissent en énergie électrique. Très utilisée dans l'habitat, l'industrie et même dans la Station spatiale internationale, l'énergie solaire se développe aussi dans le domaine de l'aviation. En 2010, le *Solar Impulse* s'est imposé comme le premier avion à énergie solaire capable de voler la nuit. En 2013, il a survolé tous les États-Unis sans utiliser de carburant. Ses ailes et sa queue contiennent près de 12 000 cellules photovoltaïques, qui alimentent ses quatre moteurs. Cet avion solaire vole lentement (48 km/h), mais l'équipe du *Solar Impulse* prévoit de faire le tour du monde !

LÉGER COMME L'AIR ?

L'envergure du *Solar Impulse* est la même que celle d'un Airbus A340, mais il pèse deux fois moins lourd qu'une simple voiture !

63

NIVEAU 2 — LES COCHONS CONTRE-ATTAQUENT

Les temps sont difficiles pour les Rebelles

à plumes. Malgré l'éclatante victoire que

représente la destruction de l'ÉTOILE

COCHON, l'Empire continue de pourchasser

les courageux oiseaux à travers la galaxie,

cherchant toujours à s'approprier l'ŒUF

mystérieux. Menés par la PRINCESSE STELLA

et RED SKYWALKER, les Rebelles ont établi

une base secrète sur Hoth, la planète glacée.

Mais le maléfique LARD VADOR a retrouvé

leur trace et son attaque est imminente...

PRINCESSE STELLA ORGANA
LA BELLE REBELLE

Intelligente, courageuse et jolie, la princesse Stella est l'un des chefs les plus audacieux de la République des Oiseaux. Plutôt têtue, elle habituée à ce qu'on lui obéisse et se montre experte dans le maniement délicat d'un rayon tracteur. Rien ne semble pouvoir l'arrêter dans sa lutte contre les Cochons.

SOUS LE CHARME DE YAN SOLO

La princesse Stella a fait sortir de sa retraite Ibou-Wan Kenobi, en l'appelant à l'aide. Par la suite, durant son séjour sur la base rebelle de Hoth, la princesse se prend d'amitié pour le fougueux Red Skywalker et, bien malgré elle, s'aperçoit qu'elle a le béguin pour ce prétentieux de Chuck Yan Solo !

PRINCESSE STELLA ORGANA

CAMP : REBELLES À PLUMES

ESPÈCE : OISEAU

COMPÉTENCES : COMMANDER, SE SERVIR DE SON RAYON TRACTEUR

PERSONNALITÉ : LEADER NÉE ET ENTÊTÉE

FORCE INFO
VÉNUS EST LA PLANÈTE LA PLUS CHAUDE DU SYSTÈME SOLAIRE.

ARMEMENT GALACTIQUE

ARME : RAYON TRACTEUR

TYPE : ARME LONGUE PORTÉE

EFFETS : AUCUN

SPÉCIFICITÉS : DÉSTABILISE LES STRUCTURES, FAIT TOMBER
LES COCHONS

LE RAYON TRACTEUR
UNE PUISSANTE ATTRACTION

LA FICTION

Quand des ennemis s'approchent de la princesse Stella, ils ne peuvent s'empêcher d'être attirés. Qu'est-ce qui la rend si attrayante? Son chant guerrier, son chignon tressé... ou son rayon tracteur? Cette arme ne cause pas de dommages en elle-même, mais elle génère un champ de force qui capture les objets et les déstabilise, en les dispersant dans toutes les directions. Lorsqu'elle atteint les Forces impériales, les Cochons volent!

ATTRACTEUR DE LUMIÈRE

Représentation artistique de l'action du rayon tracteur microscopique.

LA SCIENCE

En 2013, des chercheurs écossais ont annoncé la mise au point d'un rayon tracteur. Toutefois, celui-ci ne risque pas de disperser les Cochons, ni de disloquer leurs vaisseaux : il ne déplace que des particules. Normalement, quand un faisceau lumineux atteint des objets minuscules, les particules de lumière (photons) exercent sur eux une très faible poussée. Or, les scientifiques écossais ont obtenu l'inversion de ce mouvement : le rayon lumineux attire des particules vers lui. Ce modèle minimal de rayon tracteur pourrait avoir des applications médicales à une échelle microscopique.

HOTH LA GÉANTE GLACÉE

QUADRIPODES

LA FICTION

Après l'anéantissement de l'Étoile Cochon, les Oiseaux Rebelles furent contraints de déplacer leur base secrète. Ils choisirent de s'installer sur la planète Hoth. Froide, déserte et entourée par un dangereux champ d'astéroïdes, la blanche Hoth est parfaite pour se cacher de l'Empire Cochon. Les températures de surface sont très inférieures à 0 °C. En profondeur, sous les couches glacées, un océan liquide s'est créé. Sous l'effet de l'attraction qu'exercent les lunes de Hoth, il jaillit en geysers qui, au contact de l'air gelé, deviennent des tours de glace.

IMPÉRIAUX

LA SCIENCE

Dans notre Système solaire, certaines planètes ressemblent à Hoth. Les plus froides sont Neptune et Uranus, avec des températures de surface inférieures à -200 °C, mais ces deux géantes gazeuses ne peuvent abriter la vie. Finalement, la région la plus semblable à Hoth se trouve sur Terre. Il s'agit de l'Antarctique, partie la plus froide, la plus sèche (c'est-à-dire sans eau liquide) et la plus ventée de notre planète. Le record de température y est de -89,2 °C! Comme sur Hoth, certaines formes de vie sont capables de subsister dans un tel environnement.

EN VUE!

FORCE INFO
UN AN SUR NEPTUNE DURE ENVIRON 165 ANNÉES TERRESTRES

Les quadripodes attaquent la base rebelle sur la planète neigeuse Hoth.

HOTH

CLIMAT : FROID ; SURFACE COUVERTE DE NEIGE ET DE GLACE

SOLEIL : 1

LUNES : 3

SITES ET MONUMENTS : BASE SECRÈTE REBELLE

LE SATELLITE FRIGORIFIÉ DE SATURNE

Il existe un autre lieu comparable à Hoth dans le Système solaire. Il ne s'agit pas vraiment d'une planète, mais d'une petite lune de Saturne, nommée Encelade. C'est l'un des nombreux satellites de la planète aux anneaux (on en a découvert 62). Encelade compte parmi les corps les plus lumineux du Système solaire car elle reflète presque toute la lumière qu'elle reçoit du Soleil. Sa température en surface reste glaciale (environ -200 °C).

UN MONDE TRÈS ÉTRANGE

L'éclat d'Encelade est dû à la neige qui la recouvre. En 2011, les photos prises par la sonde spatiale Cassini montrèrent des amas de neige atteignant par endroits une épaisseur de plus de 120 mètres. La sonde révéla aussi la présence de geysers de glace, ce qui suggère l'existence d'un océan liquide sous la surface gelée d'Encelade. D'immenses jets de vapeur d'eau et de fragments de glace, propulsés dans l'atmosphère fine de la lune, retombent sous forme de neige. L'analyse de la vapeur des geysers indique qu'ils pourraient contenir les substances indispensables à la vie, ce qui fait d'Encelade un objectif prioritaire de recherche d'êtres vivants extraterrestres.

DES JAILLISSEMENTS PROMETTEURS

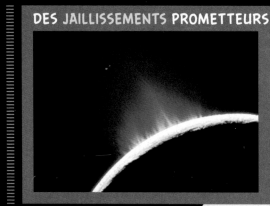

Les geysers d'Encelade visibles ici présentent des taux de sel et de matières organiques similaires à ceux d'un océan de la Terre.

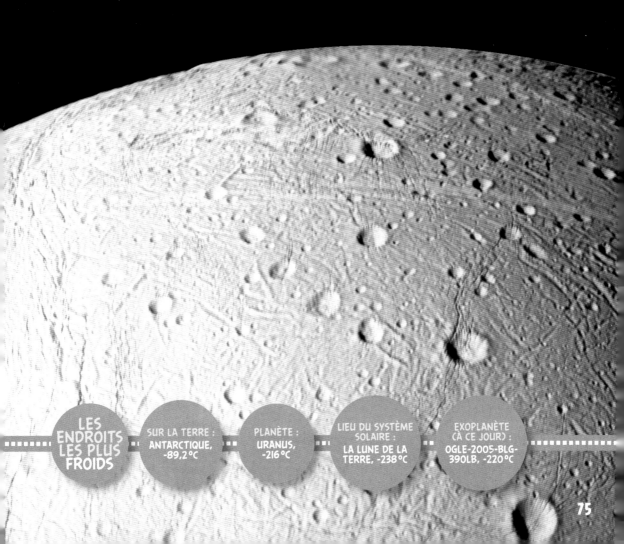

La surface gelée et grêlée de cratères d'Encelade, lune de Saturne.

LES ENDROITS LES PLUS FROIDS

SUR LA TERRE : ANTARCTIQUE, -89,2 °C

PLANÈTE : URANUS, -216 °C

LIEU DU SYSTÈME SOLAIRE : LA LUNE DE LA TERRE, -238 °C

EXOPLANÈTE (À CE JOUR) : OGLE-2005-BLG-390LB, -220 °C

L'Empire Cochon envoie des droïdes sondeurs collecter des informations sur d'autres planètes.

LES DROÏDES SONDEURS
ROBOTS DE RECONNAISSANCE

Pour dénicher la base secrète des Oiseaux Rebelles, Lard Vador a engagé une armée de droïdes sondeurs, aussi appelés « sondroïdes ». Furtifs et sournois, ces droïdes à l'aspect de méduse explorent discrètement les surfaces de nombreuses planètes, transmettant des informations à l'Empire Cochon. Leurs détecteurs enregistrent des images, des bruits, des odeurs, des vibrations, tout ce qui pourrait servir à repérer la cachette des Rebelles.

LES SONDES DE L'ESPACE

La mission des droïdes sondeurs de *Star Wars* ressemble à celle des sondes et des robots que nous utilisons pour explorer les planètes et l'espace. Des sondes spatiales sont allées jusqu'aux confins du Système solaire, prenant des clichés révélateurs de Saturne et de ses lunes. Des engins se sont posés sur la Lune, Vénus, Mars et Jupiter. Les sondes Voyager 1 et 2 ont parcouru le Système solaire pendant plus

AUTOUR DE SATURNE

La mission Cassini-Huygens d'exploration de Saturne, de ses anneaux et de ses lunes, fut un tel succès qu'elle a été reconduite jusqu'en 2017 !

de 35 ans, envoyant des informations à la Terre, jusqu'aux limites de l'espace interstellaire. Quant aux orbiteurs, ce sont des sondes qui se placent en orbite autour d'une planète. Les missions de Galileo et de Cassini, orbiteurs de Jupiter et Saturne, ont changé la vision que nous avions de ces planètes et de leurs satellites.

ATTERRISSAGE SUR MARS

Les robots les plus célèbres de la conquête spatiale sont des atterrisseurs et des astromobiles, qui se posent sur les planètes pour les explorer. Mars en a accueilli plusieurs. En 1976, les atterrisseurs Viking 1 et 2 prirent des photos et des échantillons du sol et de l'atmosphère, dont ils analysèrent la composition, cherchant des indices de vie. En 2008, la NASA envoya l'atterrisseur Phoenix dans une région polaire de Mars pour ramasser des échantillons de roches et de glace. Leur analyse a montré que la planète a une activité volcanique et que de l'eau liquide y était présente autrefois.

DES VAGABONDS DÉBROUILLARDS

Les astromobiles sont les robots les plus proches des droïdes sondeurs : ils peuvent se déplacer à la surface des planètes. Les premiers, Spirit et Opportunity, atterrirent sur Mars en 2004. Ils parcoururent la planète pour révéler l'histoire de son climat grâce aux roches et aux poussières. Spirit cessa toute communication en 2010, mais Opportunity parcourait encore la planète en 2013. L'astromobile de la génération suivante se nomme Curiosity : c'est un vrai laboratoire mobile, qui est arrivé sur Mars durant l'été 2012. Curiosity se déplace et analyse les échantillons qu'il prélève. On attend de lui d'importantes révélations. Récemment, il a découvert des roches d'un ancien lit de rivière, une première!

SONDES ET ROBOTS

SPOUTNIK : 1ER SATELLITE ARTIFICIEL, 1957

LUNA 9 : 1RE SONDE ENVOYANT DES DONNÉES DEPUIS LA LUNE, 1966

VENERA 7 : 1RE SONDE ENVOYANT DES DONNÉES DEPUIS UNE AUTRE PLANÈTE (VÉNUS), 1970

MARS 3 : 1ER ROBOT ENVOYANT DES DONNÉES DE MARS, 1971

L'astromobile Spirit a exploré la surface rocheuse de Mars pendant 6 ans.

FORCE INFO

L'ATTERRISSEUR PHOENIX A DÉTECTÉ DES FLOCONS DE NEIGE TOMBANT DES NUAGES SUR MARS.

LE PORC COMMANDEUR
UN GROS STRATÈGE

Lard Vador confie au Porc Commandeur l'organisation de l'attaque de la base rebelle de Hoth. Officier de confiance au sein des forces de l'Empire, le Porc Commandeur sait parfaitement qu'il n'a pas droit à l'échec. Aussi met-il en œuvre une stratégie implacable pour vaincre les Oiseaux Rebelles.

ARCHITECTE DE L'ATTAQUE

Sur Hoth, le Porc Commandeur dirige l'assaut terrestre. Il décide où les quadripodes impériaux TB-TT devront piétiner la planète. Il donne des ordres aux Portroopers, sachant que ceux-ci vont l'écouter sans poser de questions. Enfin, il relève les failles de la défense des Oiseaux Rebelles pour assurer à l'Empire Cochon une écrasante victoire.

PORC COMMANDEUR

CAMP : EMPIRE COCHON

ESPÈCE : COCHON

COMPÉTENCES : DONNER DES ORDRES, EXPLOITER DES FAIBLESSES

PERSONNALITÉ : ATTEND DES PORTROOPERS QU'ILS SUIVENT COMME DES MOUTONS, MANQUE D'IMAGINATION

FORCE INFO
LA GALAXIE NAINE DU GRAND CHIEN, DISTANTE DE 25000 ANNÉES-LUMIÈRE, EST LA GALAXIE LA PLUS PROCHE DE NOUS.

FICHE TECHNIQUE

NOM : TRANSPORT BLINDÉ TOUT-TERRAIN (TB-TT)

TYPE DE VÉHICULE : QUADRIPODE IMPÉRIAL

ARMES INTÉGRÉES : CANONS LASERS ET BLASTERS

COMMANDÉ PAR : PORTROOPERS, PORC COMMANDEUR

TB-TT QUADRIPODES IMPÉRIAUX

Pour le déplacement des troupes au sol et afin d'impressionner l'ennemi, l'Empire utilise ses véhicules de transport blindés tout-terrain (TB-TT). Ces robots géants de métal assurent une double fonction de transport et d'assaut, avec leur tête équipée de redoutables canons lasers. Leurs quatre pattes articulées, qui leur valent le nom de quadripodes, permettent de progresser sur tous les champs de bataille, même les plus accidentés, comme les paysages glacés de la planète Hoth.

COCHON MÉTALLIQUE VS BIGDOG

Dans le monde réel, les véhicules militaires utilisés pour le transport terrestre n'ont généralement pas de pattes, mais des roues. C'est très efficace, mais cela devient insuffisant sur de nombreux terrains, surtout en présence de boue, de sable, de neige ou de glace. C'est pourquoi on a inventé un robot tout-terrain à quatre pattes, appelé BigDog. Moins imposant qu'un quadripode de fiction, BigDog mesure environ 90 cm de long et 75 cm de hauteur, et ne court pas très vite (6,4 km/h), mais ses capacités sont multiples : il obéit à la voix et peut déblayer de gros tas de cendres, gravir des pentes à 35 %, porter une charge de 155 kg et marcher dans les gravats, la boue ou la neige. BigDog devrait permettre de concevoir des robots militaires qui porteraient l'équipement des soldats.

DRÔLE DE CHIEN MÉCANIQUE

BigDog est équipé d'un ordinateur de bord, qui contrôle ses mouvements, oriente ses capteurs et communique à distance avec un opérateur humain.

La plus grande partie de la neige qui tombe sur la planète Mars n'est pas composée d'eau mais de dioxyde de carbone.

Bien campé sur ses pattes articulées, ce quadripode progresse sur la surface gelée de Hoth.

LA CEINTURE D'ASTÉROÏDES DE HOTH VITESSE ET COLLISIONS

LA FICTION

Devant l'invasion de leur base par les Cochons, les Oiseaux Rebelles durent s'enfuir de Hoth. Chuck Yan Solo et Choubacca manœuvrèrent habilement le *Faucon Puissant* à travers la ceinture d'astéroïdes de Hoth. Ses roches de toutes tailles sont les vestiges du choc de deux planètes, des milliards d'années auparavant. Tournant à grande vitesse, ces astéroïdes entrent parfois en collision. Le choc génère des débris qui retombent sur Hoth en une pluie de météorites. Après avoir navigué dans la ceinture sans accident, le *Faucon Puissant* trouva refuge dans une grotte de l'un des plus gros astéroïdes.

LA SCIENCE

Dans le Système solaire, il existe une ceinture d'astéroïdes entre Mars et Jupiter. Elle comporte des centaines de milliers – et peut-être des millions – d'astéroïdes, mais ils ne sont pas aussi proches les uns des autres que ce que l'on voit au cinéma. Chacun est éloigné de 2 millions de kilomètres, en moyenne, de ses « voisins » ! Les sondes spatiales peuvent naviguer dans la ceinture sans danger. Certains astéroïdes font moins d'1 km de diamètre. Les plus petits sont biscornus, alors que le plus gros de tous, Cérès, a la forme sphérique d'une planète. Cérès est d'ailleurs classé comme une planète naine.

ASTÉROÏDES DONT LE NOM VIENT D'ANIMAUX À PLUMES :
CUCULA (DE *CUCULUS*, LE COUCOU),
BENNU (DE BÉNOU, DIVINITÉ ÉGYPTIENNE)
ARCHAEOPTERYX (DINOSAURE À PLUMES)

ASTÉROÏDES DE HOTH

CLIMAT : FROID, ATMOSPHÈRE INEXISTANTE

SOLEIL : 1

LUNE : 0

HABITANTS : VERS GÉANTS, MYNOCKS

Chuck Yan Solo conduit le *Faucon Puissant* à travers le dangereux champ d'astéroïdes.

UNE PLANÈTE RATÉE

Les astéroïdes sont aussi anciens que le Système solaire : ils ont plus de quatre milliards d'années ! Contrairement à ceux de la ceinture de Hoth, ils ne viennent pas du choc entre deux planètes. Situés entre Mars et Jupiter, ils auraient pu se rassembler en un seul astre, mais la naissance d'une nouvelle planète fut impossible, à cause de la forte attraction de Jupiter. Les corps continuèrent à tourner, formant la ceinture d'astéroïdes. Ils portent en eux des informations sur l'histoire du Système solaire. La sonde spatiale Dawn a été lancée en 2007 vers les deux plus gros astres de la ceinture, Cérès et Vesta, pour collecter ce type d'informations.

RENCONTRES FUSIONNELLES

Les météorites tombant sur la planète fictive Hoth proviennent de la ceinture voisine d'astéroïdes. La Terre elle-même a subi l'impact de nombreux corps rocheux venus de l'espace. Les débris des collisions qui surviennent dans la lointaine ceinture d'astéroïdes, au-delà de Mars, peuvent être une menace pour notre planète. Parmi ceux qui l'atteignent, les plus petits sont entièrement brûlés dans l'atmosphère, mais les plus massifs parviennent jusqu'à la surface. Aujourd'hui, les agences spatiales surveillent les gros astéroïdes proches de la Terre et susceptibles de s'abattre sur elle. Beaucoup l'ont fait par le passé, tel celui qui a provoqué l'extinction des dinosaures, il y a 65 millions d'années. Les astronomes dressent la liste de tous ceux qui représentent un risque.

GROSSE ET BIEN RONDE

Dans la ceinture d'astéroïdes, la planète naine Cérès est tout de même assez grosse pour être bien sphérique.

Représentation du gros astéroïde Pallas subissant l'impact d'un autre astéroïde.

LES PLUS GROS ASTÉROÏDES

CÉRÈS : 950 KM DE DIAMÈTRE, DÉCOUVERT EN 1801

VESTA : 580 KM DE DIAMÈTRE, DÉCOUVERT EN 1807

PALLAS : 540 KM DE DIAMÈTRE, DÉCOUVERT EN 1802

HYGIEA : 430 KM DE DIAMÈTRE, DÉCOUVERT EN 1849

MOUET' YODA
LE MAÎTRE DE LA LUMIÈRE

Red Skywalker a atterri en catastrophe sur la planète Dagobah et s'est mis en quête d'un maître Jedi. Il n'a rencontré qu'un vieil oiseau ridé, qui ne semble rien avoir d'un puissant héros. Mais les apparences sont trompeuses : il s'agit de Mouet' Yoda, l'un des meilleurs Jedi de tous les temps! Yoda s'est caché sur Dagobah pour préserver un immense secret : l'endroit où est caché l'Œuf.

ENTRAÎNEMENT FINAL

Mouet' Yoda accepte d'achever la formation de Red et lui fait subir de longues heures d'entraînement. Le moment venu, il partagera son secret avec Red, mais pour l'heure, l'impulsivité du jeune oiseau l'exaspère au plus haut degré. Malgré tout, Mouet'Yoda sait que Red sera bientôt prêt pour devenir un vrai Jedi.

MOUET' YODA

CAMP : REBELLES À PLUMES, HAUT CONSEIL DES JEDI

ESPÈCE : OISEAU

COMPÉTENCE : GRANDE MAÎTRISE DE LA FORCE

PERSONNALITÉ : MYSTÉRIEUX ET RÊVEUR, PARLE EN ÉNIGMES

FORCE INFO
LA PLANÈTE TERRE A 4,65 MILLIARDS D'ANNÉES.

LES SIMULATEURS DE COMBAT
PROPULSEURS ET DÉTECTEURS

Pour apprendre à manier le sabre laser, Red Skywalker utilise des simulateurs de combat. Ces petites sphères flottantes sont des ordinateurs programmés pour effectuer différents enchaînements. De minuscules propulseurs les maintiennent en l'air et leur permettent d'esquiver les attaques, tandis que des détecteurs de cibles et des blasters visent le jeune Jedi. En s'exerçant à dévier ces assauts avec son sabre laser, Red aiguise ses réflexes.

PAS BÊTES LES BULLES

À bord de la Station spatiale internationale, trois robots en forme de ballons sont utilisés à des fins scientifiques. En 1999, un professeur de l'Institut de technologie du Massachussetts chargea ses étudiants de créer un robot volant rond, comme ceux de *Star Wars*. La jeune équipe créa les SPHERES (*Synchronized Position Hold, Engage, Reorient, Experimental Satellites*). Chacune a son propre propulseur et un système informatique avec un programme de navigation. Les SPHERES équipent la Station spatiale depuis 2006 et on ne cesse de les tester et de les améliorer. Récemment, on a inséré des smartphones dans chacune d'elles. Elles possèdent ainsi une caméra interne, une connexion wi-fi, et des capteurs pour effectuer des contrôles techniques. La NASA espère que les SPHERES serviront un jour à l'entretien de la Station : les scientifiques auraient alors plus de temps pour effectuer

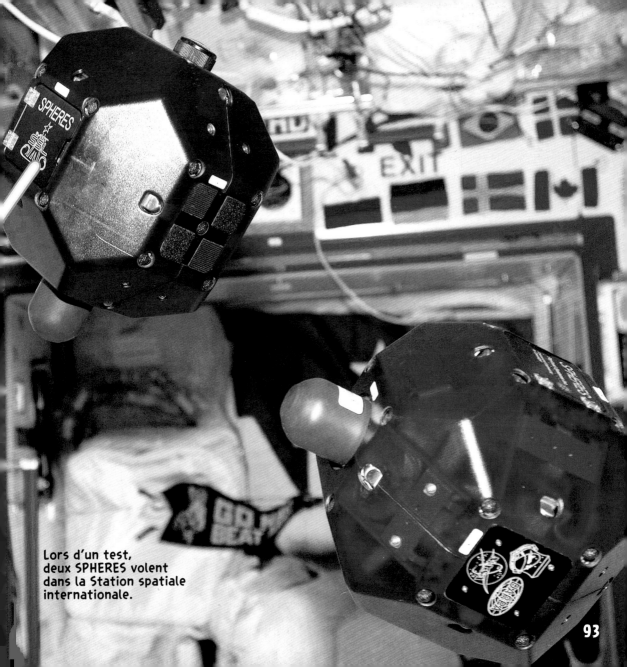

Lors d'un test,
deux SPHERES volent
dans la Station spatiale
internationale.

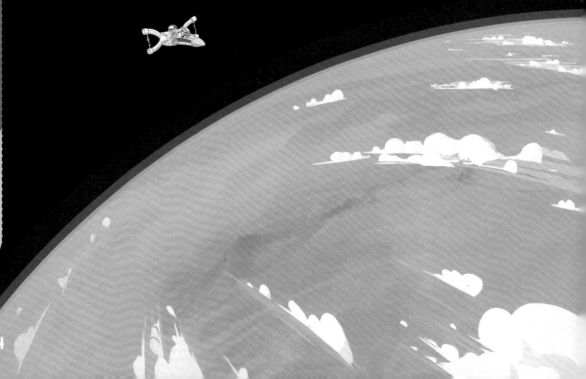

DAGOBAH

LA FICTION

C'est sur la planète isolée de Dagobah que Red Skywalker rencontre Mouet' Yoda. Le monde primitif de Dagobah est couvert de lacs peu profonds et de marécages envahis de végétation. Son climat tempéré et ses abondantes réserves en eau ont transformé la planète en une jungle aux arbres immenses, peuplée d'étranges créatures.

HUMIDE ET SAUVAGE

LA SCIENCE

La planète du Système solaire qui ressemble le plus à Dagobah, c'est bien sûr la Terre, avec ses zones chaudes et humides, aux sols marécageux, où la vie animale et végétale est très diversifiée. Les milieux les plus semblables à ceux de Dagobah se trouvent dans les régions tropicales, près des côtes, comme les Everglades (États-Unis), les Sundarbans (Bangladesh) et le delta de l'Okavango (Botswana).

Red Skywalker pilote son chasseur Aile-X, en approche de la planète marécageuse Dagobah.

DAGOBAH

CLIMAT : CHAUD ET HUMIDE
(LACS ET MERS INTÉRIEURES)

SOLEIL : 1

LUNE : 0

SITES ET MONUMENTS : ABRI
DE MOUET' YODA

Les 5 planètes habitables actuellement connues. De gauche à droite : Kepler-22b, Kepler-69c, Kepler-62e, Kepler-62f et la Terre.

À LA RECHERCHE DE PLANÈTES «BOUCLE D'OR»

Loin, très loin de la Terre, les astronomes recherchent des exoplanètes habitables, telles que Dagobah. Ces planètes devraient présenter au moins trois caractéristiques : une taille et une composition semblables à celles de la Terre, de l'eau disponible et une distance à leur étoile ni trop grande (car les planètes seraient trop froides) ni trop petite (elles seraient trop chaudes). Il y a donc, autour de chaque étoile, une zone habitable ou, plus familièrement, «Boucle d'Or» : ni trop chaude, ni trop froide, comme la soupe du conte. Les astres qui réunissent ces trois conditions pourraient fort bien abriter la vie.

LES MEILLEURS DES MONDES

Les grands télescopes spatiaux permettent de traquer les planètes de la Voie lactée répondant aux trois critères d'habitabilité. En avril 2013, deux exoplanètes d'une taille voisine de celle de la Terre ont été découvertes grâce au télescope Kepler. De type rocheux ou aquatique, elles tournent à la bonne distance autour de la même étoile, située à 1200 années-lumière de nous, dans la constellation de la Lyre. La première, nommée Kepler-62e, se trouve à la limite de la zone habitable et elle est 60 % plus grande que la Terre. La seconde, Kepler-62f, n'est que 40 % plus grande que notre planète.

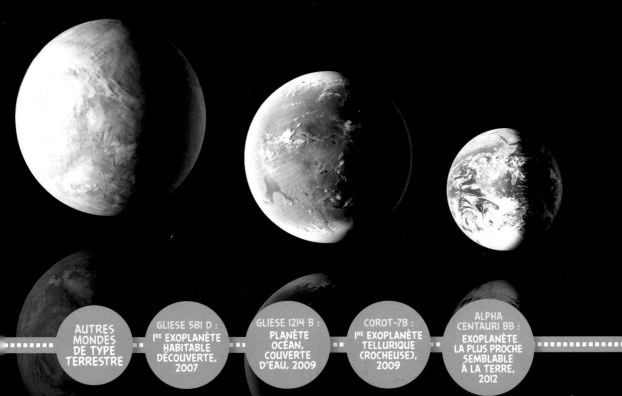

AUTRES MONDES DE TYPE TERRESTRE

GLIESE 581 D : I^{RE} EXOPLANÈTE HABITABLE DÉCOUVERTE, 2007

GLIESE 1214 B : PLANÈTE OCÉAN, COUVERTE D'EAU, 2009

COROT-7B : I^{RE} EXOPLANÈTE TELLURIQUE (ROCHEUSE), 2009

ALPHA CENTAURI BB : EXOPLANÈTE LA PLUS PROCHE SEMBLABLE À LA TERRE, 2012

FORCE INFO

Le Pantanal, en Amérique du Sud, est la plus grande zone humide de la planète (superficie de plus de 170000 km²).

Mouet' Yoda
observe Red
Skywalker après
son arrivée
mouvementée
sur Dagobah.

LANDO BECRISSIAN
CHARMEUR ET TROMPEUR

Perché dans la cité des Nuages de la planète Bespin, Lando Becrissian est un beau parleur. Ancien parieur et contrebandier, c'est un vieil ami de Chuck Yan Solo. Lando est aussi le précédent propriétaire du *Faucon Puissant*, perdu au jeu contre Yan Solo.

UN MENTEUR
DANS LES NUAGES?

En tant qu'administrateur de la cité des Nuages, Lando offre un abri sûr à Chuck Yan Solo, la princesse Stella et Choubacca. Yan Solo envisage de s'en remettre à lui, mais la princesse doute qu'il soit digne de confiance : le discours de cet ancien escroc lui semble trop mielleux pour être honnête.

LANDO BECRISSIAN

CAMP : REBELLES À PLUMES

ESPÈCE : OISEAU

COMPÉTENCES : BELLES PAROLES, PERSUASION

PERSONNALITÉ : UNE FRIPOUILLE AYANT BEAUCOUP D'ALLURE ET DE PRESTANCE

FORCE INFO
LA SUPERNOVA À L'ORIGINE DE LA NÉBULEUSE DU CRABE EXPLOSA IL Y A 1000 ANS.

BESPIN
UNE GÉANTE ACCUEILLANTE

LA FICTION

Les Oiseaux Rebelles ont trouvé refuge dans la cité des Nuages, colonie minière de la planète Bespin, une géante gazeuse. Les planètes de ce type sont composées de différents gaz – à l'état gazeux, liquide ou solide – qui tournoient autour d'un noyau central. Bespin est une planète rare, l'une des seules géantes gazeuses de la galaxie qui puisse accueillir la vie. Elle n'a pas de sol ferme, mais la couche supérieure de son atmosphère est respirable. Dans cette zone de vie, la cité des Nuages et d'autres villes flottantes prospèrent.

LA SCIENCE

Les quatre plus grosses planètes de notre Système solaire, Jupiter, Saturne, Uranus et Neptune, appartiennent à la catégorie des géantes gazeuses. Contrairement à Bespin, elles sont inhospitalières. Les atmosphères de Jupiter et de Saturne sont composées d'hydrogène et d'hélium, celles d'Uranus et de Neptune d'un mélange d'hydrogène, d'hélium et de méthane. De tels airs sont irrespirables et trop froids pour abriter la vie, même dans les couches les plus hautes. Leurs températures extrêmes, la force des vents et le manque d'oxygène rendent les géantes vraiment hostiles.

BESPIN

CLIMAT : TEMPÉRÉ
(DANS LA ZONE DE VIE)

SOLEIL : 1

LUNES : 2

SITES ET MONUMENTS : CITÉ DES NUAGES ET AUTRES VILLES

La cité des Nuages flotte dans la couche supérieure de l'atmosphère de la géante gazeuse Bespin.

LES GÉANTES GAZEUSES QUI CHAUFFENT

La capacité de Bespin à héberger la vie en fait une géante insolite. Mais les scientifiques savent qu'ils ont encore beaucoup à apprendre sur les planètes gazeuses. Les premières exoplanètes découvertes dans notre galaxie sont de ce type et la plupart ont étonné les astronomes par leurs caractéristiques. Tout d'abord, il y a eu les « Jupiters chauds », d'énormes gazeuses plus proches de leurs soleils que l'infernale planète Mercure ne l'est du nôtre. Que des géantes gazeuses soient si près de leurs étoiles semblait incroyable, mais c'était vrai! Par exemple, il fait jusqu'à 2127 °C le jour et pas moins de 927 °C la nuit sur la géante HAT-P-2b, située à 370 années-lumière dans la constellation d'Hercule.

LA FACE CACHÉE

À mesure que l'on découvre des géantes gazeuses, les révélations surprenantes s'accumulent. Celle que l'on nomme TrES-2b, de la taille de Jupiter, est la planète la plus sombre de la Galaxie. Elle devrait pourtant être très lumineuse puisqu'elle gravite à seulement cinq millions de kilomètres de son étoile mais elle ne reflète pas du tout l'intense lumière qu'elle reçoit, bien que sa surface soit très chaude (1800 °C). Si l'on s'en approchait, on verrait une sphère noire comme du charbon, avec des nuances rougeâtres. On ignore pourquoi elle est si sombre : elle fait peut-être partie d'une nouvelle catégorie de géantes gazeuses.

GÉANTE CHAUDE ET TRÈS RAPIDE

TRES-2

La géante TrES-2b tourne autour de son soleil en 2,5 jours, alors que la Terre met un an pour faire le tour du sien!

La géante sombre
TrES-2b devant
son soleil (jaune,
en arrière-plan)
et avec
deux lunes.

PLANÈTES ÉTRANGES

55 CANCRI E : POURRAIT ÊTRE EN PARTIE FAITE DE DIAMANT

HAT-P-1 : GÉANTE GAZEUSE PLUS GROSSE QUE JUPITER MAIS BEAUCOUP PLUS LÉGÈRE

WASP-12B : GÉANTE CHAUDE (ENVIRON 2200 °C), TRÈS PROCHE DE SON ÉTOILE

WASP-17B : PLANÈTE QUI SEMBLE GRAVITER À L'ENVERS

GROTA FETT
LE CHASSEUR DE PRIMES

Peu bavard, Grota Fett est un dangereux Cochon qui poursuit sans relâche ceux dont la tête est mise à prix. Véritable mercenaire, Grota travaille pour le plus offrant mais n'a de loyauté pour personne. Son armure verte et rouge lui donne un air sinistre, tandis que son réacteur dorsal lui permet de prendre son envol pour attaquer ou fuir.

SUR LA TRACE DES REBELLES

Lard Vador recrute Grota Fett pour traquer les Oiseaux Rebelles. Le chasseur de primes est particulièrement intéressé par Chuck Yan Solo, qui ne lui a pas remboursé toutes ses dettes et pour lequel une belle récompense est offerte. Il suit le *Faucon Puissant* jusqu'à la cité des Nuages et alerte Vador.

> **GROTA FETT**
>
> **CAMP :** AUCUN (MERCENAIRE)
>
> **ESPÈCE :** COCHON
>
> **COMPÉTENCES :** CHASSER DES OISEAUX POUR UNE PRIME
>
> **PERSONNALITÉ :** OBSTINÉ ET SANS PITIÉ, TROUVE TOUJOURS L'OISEAU QU'IL RECHERCHE

[FORCE INFO]
PLUS L'IMAGE D'UNE GALAXIE EST ROUGE,
PLUS CELLE-CI EST LOINTAINE

Un réacteur
dorsal réel
en action.

LE RÉACTEUR DORSAL
VOYAGE EN FUSÉE

LA FICTION

On reconnaît l'impitoyable chasseur de primes Grota Fett
à son casque rouge et vert et à l'efficacité de son réacteur
dorsal, qui fonctionne comme une fusée. Ce système
individuel de vol est intégré à l'armure de Grota. Quand
celui-ci décolle, son réacteur émet un jet de gaz brûlants,
formant un nuage de fumée qui couvre ses mouvements.
Bien que puissant, le réacteur dorsal ne permet d'effectuer
que des vols courts car son réservoir est petit.

ARMEMENT GALACTIQUE
ARME : RÉACTEUR DORSAL
TYPE : SYSTÈME INDIVIDUEL DE VOL
EFFETS : NUAGE DE FUMÉE
SPÉCIFICITÉS : MOTEUR-FUSÉE PERMETTANT UNE PROPULSION PAR RÉACTION

LA SCIENCE

Les réacteurs dorsaux personnels comme celui de Grota Fett sont courants
en science-fiction. Hélas, dans la réalité, leur développement est lent et problématique.
En effet, la conception d'un réacteur dorsal se fonde sur celle d'une fusée, ce qui implique
l'usage d'une grande quantité de combustible pour faire voler une personne, même
brièvement. Malgré tout, une invention prometteuse est en cours de mise au point, dans
une société néo-zélandaise. Ce réacteur fonctionne avec un moteur à essence qui alimente
deux turbines. L'essence est moins lourde que le combustible des fusées et permet d'alléger
le système, qui reste pourtant très volumineux. Il est assez puissant pour vous emporter
durant environ 30 minutes. Les industriels ont programmé sa mise en vente, à un prix
assez... élevé.

Les Cochons diaboliques figent Yan Solo dans de la carbonite.

110

CONGÉLATION CARBONIQUE
IMMOBILITÉ FORCÉE

Chuck Yan Solo, capturé dans la cité des Nuages, est congelé dans de la carbonite, un mélange spécial, afin que Grota Fett l'emporte dans son vaisseau pour le livrer et toucher sa prime. La carbonite sert normalement à stocker le gaz extrait de la planète Bespin. Après avoir été figée dans ce mélange, une créature vivante entre en hibernation, jusqu'à ce qu'on la décongèle.

LE PROFOND SOMMEIL DE L'ESPACE

À l'échelle d'une vie humaine, les voyages dans l'espace durent très longtemps. Rien que pour se rendre sur Mars, il faudrait 6 mois, et jusqu'à 12 ans pour atteindre Neptune. Les scientifiques cherchent une manière de préparer les astronautes à des voyages de plusieurs années : l'hibernation pourrait être une solution. Lorsqu'une marmotte hiberne, elle s'endort profondément et toutes ses fonctions vitales sont largement ralenties. Ainsi peut-elle demeurer plus de quatre mois sans se nourrir. On connaît des cas où des humains ont survécu à une exposition au froid en basculant dans un état proche de l'hibernation. Le problème, c'est que l'on ne peut provoquer volontairement cet état. Des études en laboratoire montrent que le sulfure d'hydrogène provoque une forme d'hibernation chez la souris, sans effets secondaires. Il ne reste plus qu'à espérer que des gaz de ce type puisse un jour servir à rendre plus supportable un voyage vers Neptune.

GRENOUILLE CONGELÉE

En Amérique du Nord, la grenouille des bois gèle en hiver, puis décongèle sans dommage au printemps.

NIVEAU 3
LE RETOUR DE LA VOLAILLE

Figé dans la carbonite, Yan Solo est

entre les griffes du cruel JAMBON

LE HUTT. Mais l'espoir n'est pas

perdu, car les Oiseaux Rebelles ont

un plan pour sauver leur ami. De

son côté, le diabolique EMPEREUR

PORPATINE est loin de renoncer à

ses sombres projets : vaincre les

Rebelles et voler l'Œuf, pour

démultiplier ses pouvoirs. Il a fait

secrètement bâtir une nouvelle

ÉTOILE COCHON, qui pourrait

mettre un terme brutal à la lutte

des Oiseaux Rebelles...

JAMBON LE HUTT
LE CRIMINEL BOUFFI

Gros, cruel et cupide, Jambon le Hutt a une réputation sulfureuse dans toute la galaxie. Depuis son palais du désert de Tatouïne, il règne sur un puissant réseau de contrebande, qui a grandi à l'ombre de l'Empire. Entouré de sa cour, il se réjouit de tout l'argent qu'il a récolté et s'empiffre de cochonneries.

UN TROPHÉE AU PALAIS

Parce que Chuck Yan Solo lui devait une forte somme d'argent, Jambon le Hutt avait promis une prime considérable pour sa tête. Après que Grota Fett lui eut livré l'Oiseau Rebelle congelé, Jambon n'a pas trouvé mieux que de l'accrocher au mur. Les Rebelles ont juré de sauver Yan Solo, mais Jambon ne les craint guère. Il ne doute pas de conserver éternellement son pathétique trophée.

JAMBON LE HUTT

CAMP : AUCUN

ESPÈCE : COCHON

COMPÉTENCES : MANGER

PERSONNALITÉ :
CUPIDITÉ CRIMINELLE,
APPÉTIT GARGANTUESQUE

FORCE INFO

LA NÉBULEUSE DE L'AIGLE, RÉGION TRÈS LUMINEUSE DE L'ESPACE, SE SITUE DANS LA QUEUE DE LA CONSTELLATION DU SERPENT.

FORCE INFO

L'engoulevent de Nuttall
est le seul oiseau
qui puisse hiberner,
comme certains mammifères.

Dans son bloc
de carbonite,
Yan Solo est conduit
jusqu'au vaisseau
de Grota Fett.

LES EWOKS PLUMEUX
DOUX ET INTRÉPIDES

Sur la Lune forestière d'Endor vivent les mignons petits Ewoks plumeux. Ces animaux, qui vivent en bandes nombreuses, grimpent adroitement aux grands arbres d'Endor. Ils adorent leur forêt et sont prêts à tout pour la protéger.

DE NOUVEAUX ALLIÉS

C'est en recherchant le générateur du champ protecteur de l'Étoile Cochon sur la lune d'Endor que les Oiseaux Rebelles rencontrent les Ewoks plumeux. Ceux-ci gazouillent, pépient et piaillent mais les Rebelles ne les comprennent pas! En revanche, ils savent que les Ewoks plumeux ne leur veulent aucun mal et qu'ils seront de leur côté dans la bataille.

EWOKS PLUMEUX

CAMP : REBELLES À PLUMES

ESPÈCE : OISEAUX

COMPÉTENCES : ÊTRE MIGNONS, PIAILLER FORT

PERSONNALITÉ : OISEAUX AMICAUX, AYANT DU MAL À SE FAIRE COMPRENDRE

FORCE INFO
LES ARBRES DE LA LUNE D'ENDOR RESSEMBLENT AUX SÉQUOIAS GÉANTS, QUI PEUVENT VIVRE PLUS DE 2000 ANS.

ENDOR
LA LUNE FORESTIÈRE

LA FICTION

La planète géante gazeuse Endor a neuf satellites : le plus gros est couvert de forêts, d'où son nom de Lune forestière, mais on l'appelle aussi tout simplement Endor. Son climat tempéré et la présence d'eau à l'état liquide ont permis l'épanouissement de multiples formes de vie. De grandes forêts et de hautes prairies couvrent la surface de la lune. Les Ewoks plumeux qui y vivent deviennent les alliés des Oiseaux Rebelles contre l'Empire Cochon.

ENDOR

CLIMAT : TEMPÉRÉ ET HUMIDE, VÉGÉTATION DENSE

SOLEILS : 2

LUNE : 0

SITES ET MONUMENTS : VILLAGE EWOK, GÉNÉRATEUR DU BOUCLIER DÉFLECTEUR IMPÉRIAL

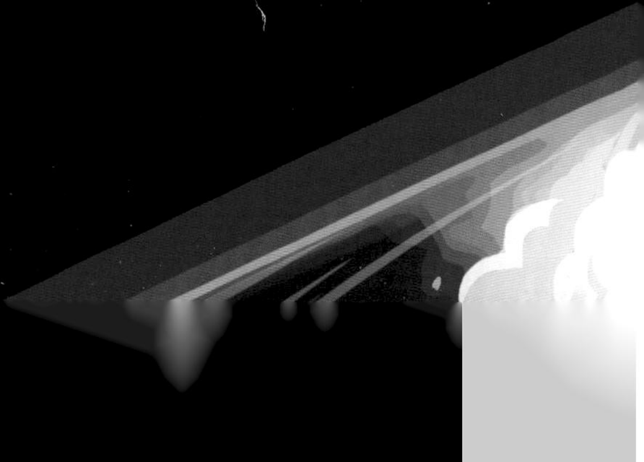

Les lunes sont des satellites naturels qui gravitent autour d'astres plus gros comme les planètes, les planètes naines et même certains astéroïdes. Il y a 172 satellites connus dans le Système solaire : la plupart des planètes en ont au moins un. Pluton, une planète naine, a cinq lunes à elle seule. Quelques astéroïdes possèdent aussi un satellite. Cependant, aucune de ces lunes n'est un univers luxuriant et plein de vie comme Endor. La majorité semblent être des mondes désolés et inertes.

FORCE INFO
VÉNUS ET MERCURE SONT LES SEULES PLANÈTES SANS LUNE.

Vue de l'espace,
la Lune forestière
est verte.

LA VIE SUR DES LUNES

Les apparences peuvent être trompeuses, car certaines lunes n'ont rien d'inerte. Au contraire, ce sont des astres dynamiques. Io, satellite de Jupiter, est le corps volcanique le plus actif du Système solaire. Titan, lune de Saturne, est couverte de lacs de méthane liquide, qui s'étendent et refluent au cours de l'année. Sur certains de ces mondes, la vie semble possible. Europe, qui tourne autour de Jupiter, est la plus prometteuse. On pense qu'elle possède un noyau de fer ainsi qu'un manteau rocheux, et qu'un profond océan s'étend sous son sol gelé.

DE L'EAU EN PROFONDEUR

En surface, Europe est froide et dure, à cause de son éloignement du Soleil. Les scientifiques pensent toutefois que la forte attraction de Jupiter la réchauffe, en attirant et en repoussant son noyau et son océan, à mesure qu'Europe tourne sur elle-même. Les marées ainsi provoquées réchauffent et fissurent la glace de surface. La présence probable d'un océan, moins froid que le sol gelé, permet d'imaginer un scénario favorable à l'apparition de formes de vie simples. Sur les fonds marins terrestres, à certains endroits, l'eau et la roche interagissent à haute température : ces zones fourmillent de vie et les scientifiques ont bon espoir qu'un environnement similaire puisse exister sur Europe.

L'EXPLORATEUR D'EUROPE

Spécialiste des planètes et de la vie extraterrestre, Kevin Hand envisage d'envoyer une navette spatiale survoler la glace d'Europe.

La surface fissurée d'Europe pourrait cacher un océan.

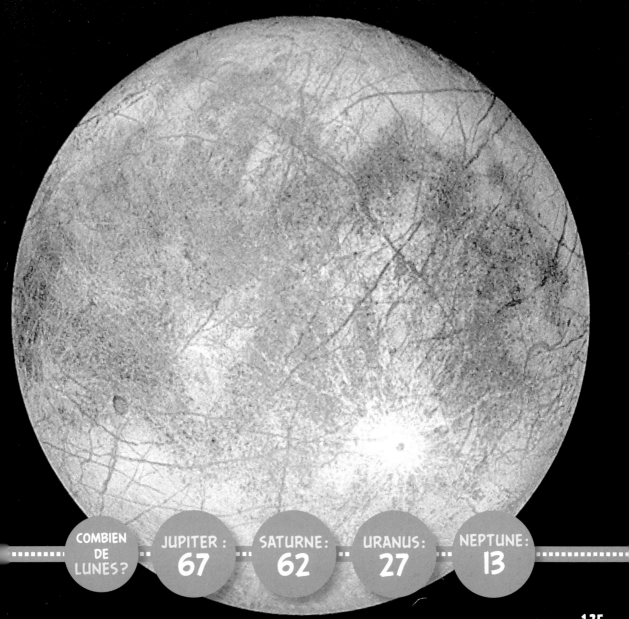

COMBIEN DE LUNES ?

JUPITER :
67

SATURNE:
62

URANUS:
27

NEPTUNE:
13

Un bouclier déflecteur
enveloppe la seconde
Étoile Cochon.

LES BOUCLIERS DÉFLECTEURS DÉTOURNENT TOUS LES TIRS

Les premiers boucliers déflecteurs ne protégeaient que les vaisseaux spatiaux, mais les chercheurs de l'Empire Cochon en ont conçu d'assez gros pour défendre une planète entière. Après la destruction de la première Étoile Cochon, ils savaient qu'il leur fallait un bouclier plus résistant pour protéger la nouvelle Étoile mortelle. Très puissant, le bouclier de cette planète artificielle se met en place à partir d'un générateur pouvant créer un champ résistant aux lasers et aux torpilles à protons.

L'ÉTOILE COCHON SERA BIENTÔT PRÊTE.

MINI MAGNÉTOSPHÈRE

Sur Terre, des scientifiques mettent au point des boucliers similaires, mais ceux-ci ne serviront pas à nous protéger des lasers : ils feront écran aux radiations solaires nocives et aux rayons gamma. Notre planète a son propre bouclier déflecteur naturel, la magnétosphère, mais les astronautes qui s'aventurent dans l'espace peuvent être gravement touchés par des particules cosmiques. Des données collectées par le robot Curiosity indiquent que le voyage jusqu'à Mars exposerait des humains à des niveaux mortels de radiations. C'est pourquoi un déflecteur serait essentiel. Une équipe de chercheurs britanniques a peut-être trouvé la solution, en découvrant qu'un petit aimant génère un champ électrique protecteur quand il est bombardé de radiations. Désormais, cette équipe tente d'appliquer le phénomène à plus grande échelle, pour créer des boucliers déflecteurs.

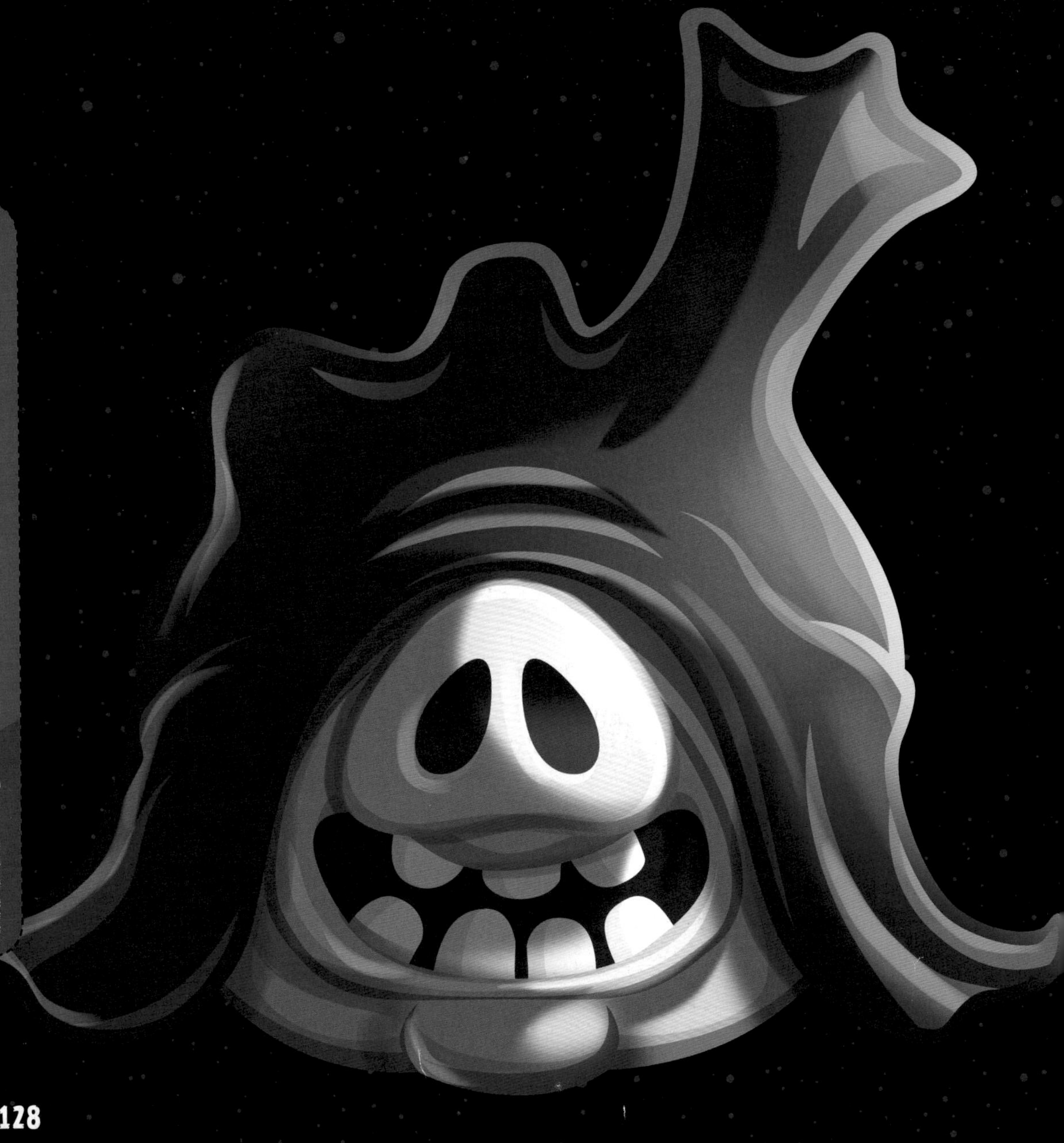

L'EMPEREUR PORPATINE
LE MAÎTRE DES MALÉFICES

Faire face à l'Empereur Porpatine, c'est sentir la présence obscure du côté goret de la Force. Le mal et la gloutonnerie entourent ce cochon, qui ambitionne de dominer la galaxie en conjugant la peur, le pouvoir militaire et une avalanche de malbouffe. Red Skywalker et les Oiseaux Rebelles représentent pour lui une menace sérieuse qu'il cherche à éliminer par tous les moyens.

LE POUVOIR DU CÔTÉ GORET

En compagnie de son disciple Lard Vador (qui complote secrètement pour le renverser), Porpatine dirige l'Empire d'une patte de fer, pendant que ses troupes recherchent l'Œuf. Son succès n'est pas assuré et le futur reste incertain.

EMPEREUR PORPATINE

CAMP : EMPIRE COCHON

ESPÈCE : COCHON

COMPÉTENCES : MAÎTRE DU CÔTÉ GORET DE LA FORCE

PERSONNALITÉ : IMPITOYABLE, MALÉFIQUE ET AVIDE

FORCE INFO
L'UNIVERS A 13,7 MILLIARDS D'ANNÉES.

LES ALIENS
UNE ÉQUIPE EXOTIQUE

Red Skywalker et l'Empereur Porpatine n'ont rien d'étrange lorsqu'on les compare aux innombrables aliens qui peuplent la galaxie – des bars de Tatouïne au palais de Jambon le Hutt. Il y a les Coch' Biths à grosse tête et les sinistres Porcs dévaroniens, mais aussi les Cui' Talz à quatre yeux et les Arconiens au regard glaçant. Ces créatures viennent de diverses planètes, ont toutes des apparences et des modes de vie différents et ne parlent pas la même langue, ce qui témoigne de l'extraordinaire diversité de la galaxie.

LA VIE SUR TERRE

Dans les récits de science-fiction, les aliens vivent aux quatre coins de l'Univers : en réalité, la Terre est encore la seule planète connue abritant la vie. Les humains cherchent des extraterrestres depuis longtemps. Au début du xxe siècle, l'astronome Percival Lowell pensait que les traces à la surface de Mars étaient des canaux construits par les Martiens (on montra par la suite qu'il se trompait). Aujourd'hui, les exobiologistes, des scientifiques qui étudient les possibilités d'apparition de la vie dans l'Univers, ne croient plus aux petits hommes verts de Mars, mais sont toujours à la recherche de nouvelles formes de vie, qu'il s'agisse de microbes ou d'êtres intelligents.

Quatre portraits d'aliens avec, dans le sens des aiguilles d'une montre en partant d'en haut à gauche, un Cui' Talz, un Arconien, deux Coch' Biths et un Porc dévaronien.

Les antennes
de l'Allen
Telescope
Array, en
Californie,
sont tournées
vers le ciel.

EN ROUTE POUR LES EXTRÊMES

Les exobiologistes trouvent souvent l'inspiration en observant certaines formes de vie terrestres et les territoires inattendus où elles prospèrent. Il y a les « extrêmophiles » qui s'épanouissent dans des lieux parmi les plus hostiles de la planète, très chauds, secs, sombres, glaciaux, salés ou encore acides. Autour de certains geysers du parc national de Yellowstone aux États-Unis, des bactéries vivent dans un milieu très chaud et si acide qu'il pourrait dissoudre nos ongles ! Peut-être existe-t-il sur d'autres planètes ou satellites des environnements similaires, qui pourraient accueillir la vie, comme les lacs de méthane de Titan (une des lunes de Saturne) ou l'océan d'Europe (une des lunes de Jupiter).

À L'ÉCOUTE DU COSMOS

On cherche des indices de formes de vie plus complexes, capables d'émettre des signaux révélant leur présence. Le programme SETI de recherche d'une intelligence extraterrestre a été fondé dans ce but. Les radiotélescopes représentent aujourd'hui ses principaux outils de recherche, comme l'Allen Telescope Array en Californie. Ces télescopes permettraient de capter des signaux inhabituels venus de l'espace, si nous en recevons un jour. La Terre n'est dotée de ces « oreilles » que depuis une cinquantaine d'années, durée minuscule rapportée à l'âge et à l'immensité de l'espace. Des radiotélescopes plus puissants, comme le Square Kilometer Array, sont en construction pour approfondir les recherches.

UN PETIT ALIEN CORIACE ET VIVANT SUR TERRE

Le tardigrade est un animal minuscule, qui peut survivre à presque tout : températures hyper-froides, chaleur extrême, rayonnements mortels, déshydratation ou vide spatial.

BONUS LA MENACE FANTÔME

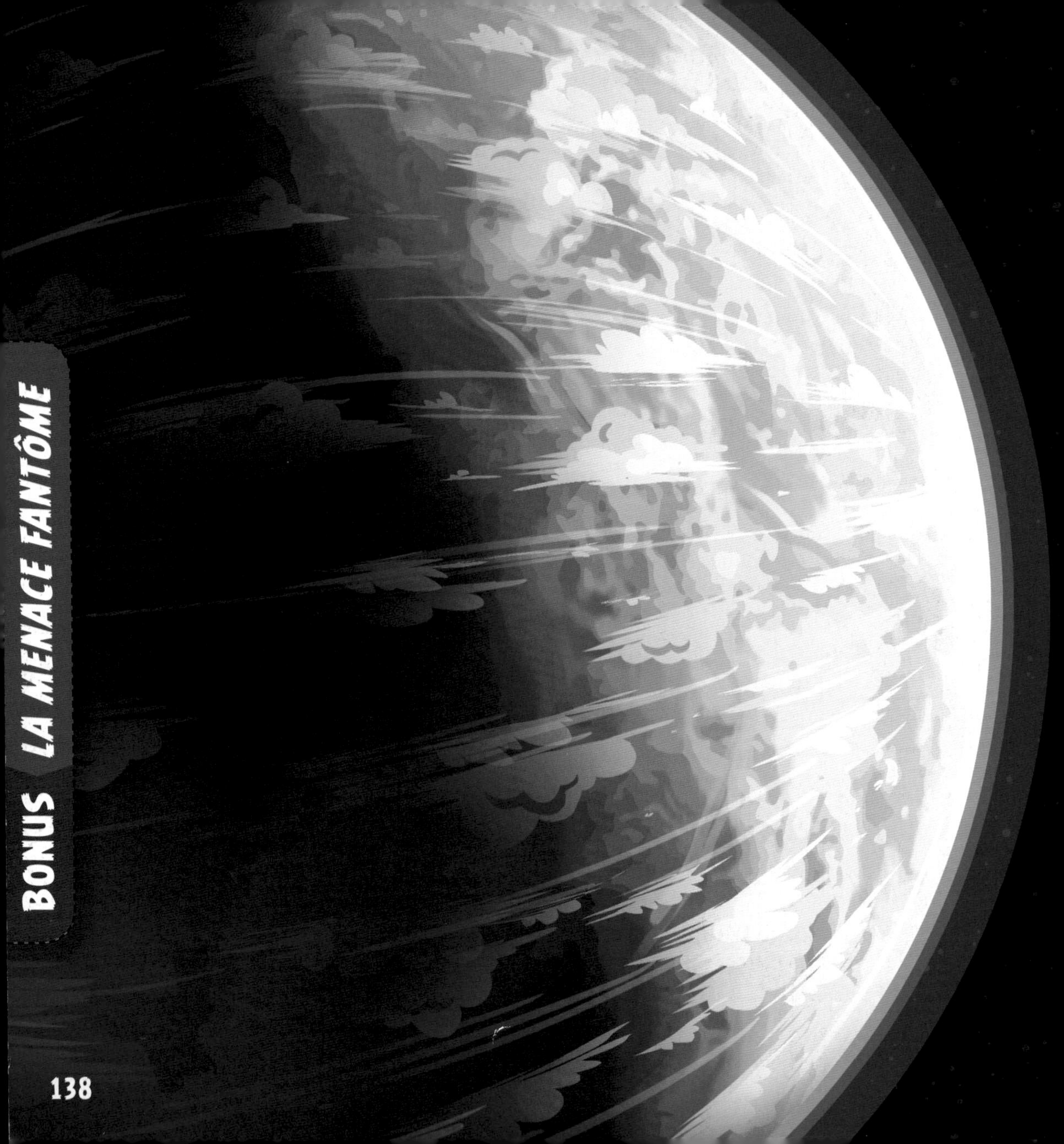

La confusion règne dans la galaxie.

L'avide Fédération porcine menace

la petite planète Naboo et les paisibles

oiseaux qui la peuplent. Pour les

préserver du côté goret de la Force,

la République envoie deux chevaliers

Jedi afin qu'ils modèrent l'énorme

appétit des Cochons pour le pouvoir

et la malbouffe.

UN JEDI INDEPENDANT

Malgré une initiation conforme aux codes de son ordre, Cui-Gon est un maître Jedi qui suit ses propres instincts, tout en manifestant respect et estime à ses condisciples. Il a déjà participé à l'entraînement d'oiseaux Jedi lorsqu'il prend un nouvel apprenti, Ibou-Wan Kenobi. Tous deux n'ont pas toujours le même point de vue, mais ils partagent leur détermination à combattre les Cochons.

UNE FUITE AUDACIEUSE

Le Haut Conseil des Jedi envoie Cui-Gon et Ibou-Wan Kenobi négocier avec la Fédération porcine, qui assiège la planète Naboo. Mais, avant toute négociation, les Cochons tentent de supprimer les deux oiseaux. Cui-Gon et son apprenti s'échappent pour rejoindre Naboo, où ils devront affronter la vraie nature du côté goret de la Force.

CUI-GON

CAMP : CONSEIL DES MAÎTRES JEDI VOLANTS

ESPÈCE : OISEAU

COMPÉTENCES : HARMONISATION DE LA FORCE; COMMUNICATION LONGUE DISTANCE

PERSONNALITÉ : SE FIE SURTOUT À SON INTUITION

FORCE INFO

TRITON, UNE LUNE DE NEPTURE, EST LE SEUL GROS SATELLITE QUI GRAVITE DANS UN SENS OPPOSÉ À

NABOO
UN HAVRE DE PAIX

LA FICTION

Monde luxuriant aux vastes plaines verdoyantes ornées de lacs, de rivières et de rondes collines, Naboo est une planète tranquille, où deux civilisations cohabitent. La surface est occupée par des oiseaux pacifiques, gouvernés par la reine Palmée Amidala. Ils résident dans de belles cités, près des lacs, dont les profondeurs abritent les oiseaux Gungan. Chacun dans son habitat, terrestre ou aquatique, les deux peuples de Naboo côtoient des animaux fantastiques, comme le poisson colo à griffes et l'aqua-monstre sando.

FORCE INFO

LE PLUS ANCIEN ANIMAL EST PEUT-ÊTRE UNE PETITE ÉPONGE FOSSILE DE 760 MILLIONS D'ANNÉES, OTAVIA ANTIQUA.

LA SCIENCE

La biodiversité de Naboo – tant en surface qu'en dessous – évoque celle de notre planète. Sur Terre, cette diversité de la vie est relativement récente. En effet, depuis 3,5 milliards d'années, la forme de vie dominante est longtemps restée microscopique. Pourtant, il y a environ 540 millions d'années, la biodiversité a explosé, pour des raisons que les scientifiques cherchent toujours à comprendre. Durant la période nommée Cambrien (il y a 542 à 488 millions d'années), un grand nombre de formes de vie nouvelles, et souvent étranges, sont apparues. Parmi elles se trouvaient les ancêtres de plusieurs grands groupes actuels, comme les mollusques, les arthropodes, les échinodermes et les coraux. Les fossiles de certains animaux du Cambrien font penser à des êtres de science-fiction.

NABOO

RELIEF : COLLINES ET PLAINES, AVEC MARAIS ET LACS

CLIMAT : TEMPÉRÉ

AFFILIATION : RÉPUBLIQUE GALACTIQUE DES OISEAUX

SOLEIL : 1

LUNES : 3

SITES ET MONUMENTS : THEED (CAPITALE DE SURFACE) ET OTOH GUNGA (PLUS GRANDE VILLE IMMERGÉE)

Le climat de Naboo est favorable à la diversification de la vie.

LE PROBLÈME AVEC LES TRILOBITES...

Le Cambrien est « l'ère des trilobites », du nom d'animaux parmi les plus anciens et les plus prospères ayant vécu sur Terre (plus précisément dans les mers). Les trilobites sont apparus il y a environ 540 millions d'années : ils ressemblaient à de gros insectes aquatiques (mesurant jusqu'à 60 cm de long), affublés d'une sorte de casque. Leur corps, doté de nombreuses et fines pattes, était protégé par une carapace. Les trilobites proliférèrent pendant près de 300 millions d'années, puis disparurent lors de la vague d'extinction massive qui sévit sur Terre il y a 245 millions d'années. Mais les trilobites sont les parents très éloignés des limules, des araignées et des homards !

Il y a 120 millions d'années, d'énormes reptiles régnaient sur les océans.

IL Y A

450 MILLIONS D'ANNÉES : REQUINS

240 MILLIONS D'ANNÉES :

125 MILLIONS D'ANNÉES : PREMIERS

190 000 ANS : PREMIERS

DES MONSTRES MARINS PLUS EFFRAYANTS QUE DANS STAR WARS!

Après l'explosion du Cambrien, des créatures plus complexes, étranges et effrayantes sont apparues. La période la plus mal choisie pour prendre un bain de mer était peut-être le Crétacé, qui débuta il y a 145 millions d'années. Alors que les dinosaures grouillaient sur terre, de gros reptiles marins et des requins préhistoriques régnaient sur les profondeurs. Les plus terribles de ces prédateurs étaient les mosasaures, tels que le tylosaure, qui pouvait mesurer plus de 15 m de long. Il se servait de ses dents acérées pour maintenir fermement ses proies avant de les engloutir. Ce monstre aquatique a disparu en même temps que les dinosaures, il y a 65 millions d'années.

REDKIN SKYWALKER

L'ENFANT PRODIGE

Élevé comme esclave dans le désert de Tatouïne, Redkin Skywalker est un jeune oiseau qui ne perd jamais espoir. D'un caractère généreux, il est prêt à tendre l'aile à n'importe qui. Doué en mécanique, il peut construire et réparer à peu près tout. Redkin a des réflexes aussi rapides que la lumière, ce qui fait de lui l'un des meilleurs pilotes de pod de la planète. Il espère gagner sa liberté grâce à ce don.

UN DESTIN EXCEPTIONNEL

Dès sa première rencontre avec Cui-Gon et Ibou-Wan, Redkin sait qu'il veut devenir un chevalier Jedi, fort, juste et puissant. Cui-Gon est impressionné par les capacités de Redkin, mais il le met en garde contre son impatience et lui conseille de méditer sur ses erreurs. Le jeune oiseau est trop vif et ses désirs faussent son jugement. Il nécessite un apprentissage rigoureux pour se préserver du côté goret de la Force.

REDKIN SKYWALKER

CAMP : JEDI ET RÉPUBLIQUE DES OISEAUX

ESPÈCE : OISEAU

COMPÉTENCES : DON POUR LA MÉCANIQUE ET LE PILOTAGE DE POD

PERSONNALITÉ : ENTHOUSIASTE, MAIS IMPATIENT

L'iRobot 710
peut déplacer
de lourds objets.

LES DROÏDES-COCHONS
UNE ARMÉE SOUS CONTRÔLE

La Fédération porcine envoie sa puissante armée de droïdes-cochons prendre part à la bataille de Naboo. Ce sont donc des milliers de robots-soldats qui débarquent sur la planète. Ils manquent de cervelle et suivent le protocole sans se poser de questions. Un ordinateur central leur indique où tirer avec leurs blasters.

ROBOTS DES AIRS ET ROBOTS DE TERRE

Les armées modernes misent de plus en plus sur la robotique pour réduire les pertes humaines lors des combats. Les drones sont des véhicules volants contrôlés à distance pour effectuer des missions de surveillance et détruire des cibles, sans mettre la vie de pilotes en danger. L'armée américaine utilise aussi des robots de surface, qui sécurisent parfois les zones dangereuses avant l'arrivée des soldats. Leur taille et leur forme dépendent de leurs fonctions. Par exemple, le gros iRobot 710 (136 kg) est pourvu d'un bras qui peut manipuler des objets pesant jusqu'à 159 kg. Il y a le PackBot, un robot qui a fait ses preuves et est utilisé depuis plus d'une décennie : il pèse environ 18 kg et sert à neutraliser les mines et explorer les bâtiments, assurant une transmission en temps réel du son et de l'image, pendant que son opérateur

BONUS **LA MENACE FANTÔME**

DARK MOCHE
L'APPRENTI DIABOLIQUE

Même les plus courageux des Oiseaux prennent peur devant la figure tatouée et garnie de cornes de Dark Moche. Ce Seigneur Cochon est passé du côté goret de la Force alors qu'il était encore porcelet. Il fut initié au régal de la malbouffe par le maléfique Dark Sournois. Des saveurs délicieusement écœurantes ont bouleversé le jeune Moche, qui n'a pas pu résister : il est devenu l'un des meilleurs apprentis du côté goret.

DARK MOCHE

CAMP : CÔTÉ GORET DE LA FORCE

ESPÈCE : COCHON

COMPÉTENCES : FAIRE PEUR ; TATOUER

PERSONNALITÉ : EFFRAYANT ET DÉMENT

DEUX LAMES VALENT-ELLES MIEUX QU'UNE ?

L'arme de Dark Moche est aussi diabolique que son visage : la lueur rouge des deux lames de ce sabre laser terrifie tout adversaire. Alors que Cui-Gon et Ibou-Wan Kenobi se trouvent sur la planète Naboo pour protéger ses habitants contre la Fédération porcine, Dark Sournois envoie Dark Moche les combattre, persuadé qu'il est largement assez fort pour régler leur compte aux deux oiseaux Jedi.

Pour plus d'informations

Site officiel du jeu *Angry Birds Star Wars* (en anglais)

http://angrybirds.tumblr.com

L'astronomie sur Internet

Le CNES (Centre national d'études spatiales) : organisme de recherche et d'industrie spatiale.
www.cnes.fr

L'ESA (Agence spatiale européenne) : actualités de l'astronomie et espace enfants
(www.esa.int/esaKIDSfr).
www.esa.int/fre/ESA_in_your_country/France

La Société astronomique de France : un site interactif sur l'espace.
www.astrosurf.com/saf/

Un magazine d'astronomie : www.saf-lastronomie.com/revue/sommaire.html

L'Association Française d'Astronomie : un site Internet pour les amateurs d'astronomie.
www.afanet.fr

Sites utiles

Observatoire de Paris : centre de recherche à Paris et en région parisienne. Observatoires
et laboratoires pouvant être visités (Paris, Meudon, Nançay).
www.obspm.fr.

Observatoire européen austral (ESO) : site officiel de l'ESO, regroupant 15 États européens,
qui construit et gère un ensemble de télescopes installés au Chili.
www.eso.org/public/france

Observatoire du Pic du Midi, dans les Hautes-Pyrénées : centre d'astronomie et de météorologie,
à 2 877 m d'altitude.
www.picdumidi.org

SETI Institute : organisme de recherche d'une intelligence extraterrestre.
www.seti.org (en anglais)

Site sur la mission Kepler menée par la NASA.
http://kepler.nasa.gov (en anglais)

Cité de l'Espace, à Toulouse : parc scientifique et ludique sur l'espace et la conquête spatiale.
http://www.cite-espace.com

À propos des robots

Humanoïdes.fr : l'actualité des robots et de l'intelligence artificielle.
www.humanoides.fr

Musée des Arts et Métiers (CNAM) : www.arts-et-metiers.net

Livres

Amy Briggs, *Angry Birds Space*, National Geographic jeunesse, 2013.

Hubert Reeves, *L'Univers expliqué à mes petits-enfants*, Seuil, 2011.

Philippe de La Cotardière, *Guide de l'astronomie en France*, Belin 2013.

Olivier de Goursac, *La conquête spatiale racontée aux enfants*, De La Martinière Jeunesse, 2013.

Vincent Jean Victor, *Guide de l'astronome débutant*, Eyrolles, 2012

Sylvain Bouley, Lionel Bret, *Étoiles et planètes : comprendre l'univers en 40 repères*, Delachaux et Niestlé, 2009.

Jacques Paul, Jean-Luc Robert-Esil, *Le Beau Livre de l'Univers - Du Big Bang au Big Freeze*, Dunod, 2011.

À propos de l'auteur

Si Amy Briggs n'est pas en train de regarder un film *Star Wars*, ni de jouer à *Angry Birds*, c'est probablement parce qu'elle écrit un livre. *Angry Birds Star Wars* est le deuxième titre publié par National Geographic Jeunesse qu'elle consacre aux personnages des jeux, le premier étant *Angry Birds Space*. Ancienne éditrice senior aux éditions National Geographic, Amy Briggs contribue régulièrement, en anglais, à un blog du National Geographic, *Tales of the Weird* (« Contes de l'Étrange »), et donne vie à son propre blog, *Briggs in Space* (« Briggs dans l'espace »). Elle vit aux États-Unis, en Virginie, avec son mari, sa fille, et ses deux chats gris.

Glossaire

Aéroglisseur : véhicule se déplaçant en flottant au-dessus du sol, d'une surface liquide ou de glace, sur un coussin d'air produit par ventilation.

Année-lumière : distance que parcourt la lumière dans le vide en une année, soit environ 9 500 milliards de kilomètres.

Atmosphère : couche de gaz qui enveloppe une planète ou un astre ayant une gravité suffisante.

Atterrisseur : partie d'un vaisseau spatial qui se pose sur une autre planète, un astéroïde ou un satellite, pour y recueillir des informations. Certains atterrisseurs sont conçus pour se poser en douceur, tandis que d'autres, appelés « impacteurs », percutent le sol.

Ceinture d'astéroïdes : région du Système solaire, entre Mars et Jupiter, où gravitent un grand nombre d'astéroïdes.

Désert : région sur Terre recevant très peu d'eau sous forme liquide (moins de 25 cm par an). Le Sahara est le plus grand désert chaud du monde et l'Antarctique le plus grand désert froid.

Éruption solaire : éjection brutale par le Soleil d'immenses panaches de gaz à très haute température et à très grande vitesse.

Espace interstellaire : zone séparant deux étoiles.

Étoile : astre de grande taille, très chaud, dense et lumineux. Le Soleil est l'étoile la plus proche de la Terre.

Étoile binaire : ensemble de deux étoiles proches et tournant autour d'un même point de l'espace (centre de gravité). La plus brillante est l'étoile primaire, l'autre son étoile compagnon.

Évolution : ensemble des modifications des caractères des êtres vivants au cours des générations, se traduisant à long terme par l'apparition de nouvelles espèces et par la diversification de la vie sur la Terre.

Exobiologie : étude des possibilités d'apparition de la vie dans l'Univers ; recherche de vie extraterrestre dans le Système solaire et de planètes habitables en dehors.

Exoplanète : planète qui tourne autour d'une étoile autre que le Soleil (on dit aussi « planète extrasolaire »).

Galaxie : groupement dans l'espace d'étoiles et de nuages de gaz. Chaque galaxie peut réunir des milliards d'étoiles ; la forme la plus courante des galaxies est la spirale.

Géante gazeuse : grosse planète à faible densité, composée principalement d'hydrogène et d'hélium. Dans le Système solaire, Jupiter, Saturne, Uranus et Neptune sont des géantes gazeuses.

Gravitation : attraction qui s'exerce entre tous les corps de l'espace, proportionnellement à leur masse (plus un astre est massif, plus sa force d'attraction est importante). On parle aussi de « gravité » et de « pesanteur ».

Hibernation : longue période de sommeil profond (ralentissement des fonctions vitales, baisse de la température corporelle) qui permet à certains animaux de survivre quand les ressources deviennent rares.

Lune : astre en orbite autour d'une planète, d'une planète naine ou d'un gros astéroïde. Une lune est un satellite naturel. La Lune (avec une majuscule) est le satellite de la Terre.

Météorite : corps céleste tombant sur la Terre (ou sur un autre astre) après avoir traversé l'atmosphère en produisant une traînée lumineuse. Certains corps minuscules se volatilisent complètement dans l'atmosphère (« étoiles filantes »).

Mir : station spatiale modulable qui gravitait autour de la Terre entre 1986 et 2001. Contrôlée par l'Union soviétique puis la Russie, elle fut la première station occupée en permanence.

Mission Kepler : mission de recherche d'exoplanètes habitables et d'exploration de la structure et de la diversité d'autres systèmes planétaires que le nôtre, en utilisant le télescope spatial Kepler, braqué sur une petite partie de la Voie lactée.

Moteurs à propulsion ionique : moteurs qui exploitent les champs magnétiques plutôt que des explosions chimiques pour se propulser.

Orbite : trajet suivi par un astre tournant autour d'un autre, comme la Terre autour du Soleil ou la Lune autour de la Terre.

Orbiteur : vaisseau spatial qui gravite autour d'une autre planète, d'un astéroïde ou d'un satellite naturel pour recueillir des données scientifiques.

Panneau solaire : ensemble de cellules, dites « photovoltaïques », convertissant la lumière solaire en électricité.

Planète : astre en orbite autour du Soleil, ayant une masse suffisant pour que sa propre gravité lui donne une forme à peu près ronde, et ayant éliminé tout autre astre sur son orbite ou sur une orbite proche, à l'exception de ses propres lunes.
(Voir aussi : exoplanète).

Planète naine : petit astre, qui a la forme sphérique d'une planète, mais n'est pas seul sur son orbite autour du Soleil.

Planète tellurique : planète composée de roches, telle que la Terre, ainsi que Mercure, Vénus, et Mars dans le Système solaire, par opposition aux géantes gazeuses comme Jupiter.

Radiation solaire : rayonnement émis par le Soleil, comprenant la lumière visible, des rayons ultraviolets et des infrarouges.

Rayons gamma : type de rayonnement très énergétique, émis lors de réactions nucléaires et dangereux pour les êtres vivants.

Station spatiale internationale : station spatiale habitable gravitant autour de la Terre, comprenant un laboratoire et une plateforme d'observation astronomique, environnementale et géologique.

Voie lactée : nom donné à notre Galaxie, en forme de spirale et contenant plus de 200 milliards d'étoiles, dont le Soleil.

Zone habitable : distance idéale par rapport à son étoile pour une planète, permettant que l'eau s'y présente sous sa forme liquide. La Terre tourne dans la zone habitable du Soleil.

MYNCOCH

Vocabulaire d'*Angry Birds Star Wars*

Blaster : arme laser très courante, existant en différentes tailles, du pistolet au gros canon.

Bouclier déflecteur : champ de force pouvant repousser les attaques physiques ou énergétiques. Un bouclier déflecteur équipe les vaisseaux spatiaux, ainsi que l'Étoile Cochon.

Chasseur de prime : mercenaire qui, pour de l'argent, poursuit et attaque les Oiseaux Rebelles dont la tête à été mise à prix.

Chevaliers Jedi volants : oiseaux protecteurs de la liberté et de la justice dans la galaxie.

Droïde astromécanique : droïde tel que R2-BEC2, spécialisé dans l'entretien, la réparation et la navigation des vaisseaux spatiaux.

Droïde protocolaire : droïde programmé pour comprendre le langage, les attitudes et la diplomatie des extraterrestres.

Droïde sonde : robot de reconnaissance envoyé sur tous les astres de la galaxie, pour recueillir des informations et les transmettre à l'Empire Cochon.

Empire Cochon : empire diabolique de Cochons cupides et passionnés de malbouffe. Menés par Lard Vador et l'empereur Porcupide, les Cochons de l'Empire recherchent l'Œuf tout-puissant aux quatre coins de la galaxie.

Étoile Cochon : station spatiale géante en forme de planète, utilisée pour l'attaque, l'hébergement des Portroopers et le stockage de leurs cochonneries.

Landspeeder : petit véhicule de transport terrestre, muni d'un moteur à deux turbines lui permettant de s'élever et de flotter au-dessus du sol.

L'Œuf : mystérieuse relique de la Force, conservée dans un lieu secret, pouvant donner le pouvoir de diriger la galaxie.

Myncoch : créature ailée à tête de cochon vivant au fond des cavernes des astéroïdes proches de la planète Hoth. Les myncochs se nourrissent de l'énergie des vaisseaux.

N'œuf PAP : vaisseau spatial rapide fonctionnant à l'énergie solaire et utilisé par l'Empire Cochon.

Rebelles à plumes : groupe d'Angry Birds combattant pour libérer la galaxie du diabolique Empire Cochon.

Sabre laser : épée dont la lame d'énergie pure coupe la plupart des matériaux, à l'exception des autres sabres lasers ; arme des Jedi volants.

Simulateur de combat : sphères flottantes, munies de propulseurs, programmées pour entraîner Red Skywalker au combat de sabre laser.

Vaisseau de combat Aile-X : vaisseau spatial servant à la fois pour les combats et pour les voyages interplanétaires.

MYNCOCH

Crédits iconographiques

8-9, NASA/JPL-Caltech/ESA/Harvard-Smithsonian CfA ; 22, NASA/Kepler Mission/Wendy Stenzel ; 22-23, NASA/JPLCaltech/R. Hurt ; 27 (robot HERB du CMU, avec le soutien de la National Science Foundation, Quality of Life Technology Center EEEC-0540865), Jason Campbell/Robotics Institute/Carnegie Mellon University, (image de fond), Rodin Anton/Shutterstock ; 31, Energetic Materials and Products (EMPI) ; 33, Larry Bartholomew/Aerofex Corporation ; 39, U.S. Navy, photographe officiel ; 42, NASA ; 43, NASA/autorisation de SpaceX ; 47 (gauche), Neil Armstrong/NASA, (centre), NASA ; 47 (droite), NASA ; 50, NASA ; 50-1, NASA ; 57, NASA/JPL-Caltech ; 61, Sgt. Tammy K. Hineline/U.S. Marine Corps, photographe officiel ; 63, Jean Revillard/Rezo/Solar Impulse/Polaris ; 71, autorisation de l'université St. Andrews ; 74, NASA/JPL/Space Science Institute ; 74-75, NASA/JPL/Space Science Institute ; 77, NASA/JPL-Caltech ; 78-79, modèle de Spirit de Dan Maas, image de synthèse de Koji Kuramura, Zareh Gorjian, Mike Stetson et Eric M. De Jong/NASA/JPL/Cornell ; 83, Boston Dynamics ; 88, NASA/ESA/SWRI/université Cornell/université du Maryland/STSci ; 88-89, UCLA ; B. E. Schmidt et S. C. Radcliffe ; 93, NASA ; 96-97, NASA Ames/JPL-Caltech ; 104, NASA/Ames/JPL-Caltech ; 104-105, David A. Aguilar (CfA), TrES, Kepler, NASA ; 108, Martin JetPack ; 111, Joel Sartore/National Geographic Creative ; 124, Kevin Hand ; 125, Science Source ; 126, grille d'après Pavel Ignatov/Shutterstock et Nesta/Shutterstock ; 132-133, Seth Shostak/SETI ; 133, Science Picture Co./Corbis ; 144-145, Matte FX Inc./NGS ; 148 (robot), iRobot ; (image de fond, ciel), ekina/Shutterstock ; (roches), Val Lawless/Shutterstock.

Remerciements

Nous remercions toute l'équipe qui a travaillé très dur sur ce projet et grâce à laquelle nous avons pu rapidement fournir un résultat de qualité.

Lucasfilm Carol Roeder, Joanne Chan Taylor, Troy Alders, Leland Chee, Hez Chorba, Lee Jacobson, Tina Mills et Shahana Alam.

Rovio Sanna Lukander, Laura Nevanlinna, Nita Ukkonen, Jan Schulte-Tigges, Toni Kysenius, Alberto Camara et Jarrod Gecek.

National Geographic Bridget A. English, Jonathan Halling, Dana Chivvis, Ben Shannon, George Bounelis, Galen Young, Judith Klein, Marshall Kiker et Lisa A. Walker.

ATTENTION !

D'AUTRES ANGRY BIRDS SONT EN CAVALE !

 DISPONIBLES DANS TOUTES LES LIBRAIRIES

Trouvez tous les jeux *Angry Birds*
sur ANGRYBIRDS.COM

POUR TOUS
LES FANS
D'ANGRY
BIRDS !

NATIONAL
GEOGRAPHIC
jeunesse